우리는 결코 오래 살기 위해 달리는 게 아니다.
설령 짧게밖에 살 수 없다 하더라도,
그 짧은 인생을 어떻게든 완전히 집중해서 살기 위해 달리는 것이다.

무라카미 하루키

爲學之要 莫先於窮理 窮理之要 必在於讀書
학문을 하는 도는 궁리보다 앞서는 것이 없고, 궁리의 요체는 모름지기 독서에 있다.

나는 달린다

Joschka Fischer

나는 달린다

Joschka Fischer

요쉬카 피셔 지음
선주성 옮김

궁리
KungRee

Mein langer Lauf zu mir selbst
by Joschka Fischer

"물고기는 헤엄치고, 새는 날고, 인간은 달린다."

- 에밀 자토펙*

* 1952년 헬싱키 올림픽에서 5,000미터와 1만 미터, 그리고 마라톤에서 우승한 체코슬로바키아의 육상 선수

차 례

| 옮긴이의 말 |

달리면 인생이 바뀐다

■

선주성

요쉬카 피셔하고는 인연이 있다. 그와 나는 지난 1999년 11월 7일에 있었던 뉴욕 마라톤 대회를 같이 뛰었다. 대회 참가 전 나는 피셔 독일 외무장관이 뉴욕 마라톤 대회에 참가한다는 소식을 신문에서 읽고 한번 만날 수 있기를 희망했다. 나중에 알게 된 것이지만 그는 마틴 피셔라는 이름으로 신청했다. 배번호는 9990. 나의 배번호는 9138. 그와 나는 아마 출발 후 대충 15킬로미터 지점에서 교차하였을 것이다. 그가 10킬로미터 지점을 통과한 시간이 55분 31초, 나는 57분 18초. 그러나 마라톤의 중간인 21킬로미터 지점을 통과한 시간은 피셔 장관이 1시간 54분 05초, 나는 1시간 52분 51초. 만약 내가 그의 뒷모습을 알고 있었다면 나는 그에게 "구텐 탁, 헤어 피셔"라 말하며 하이 파이브를 했을 것이다. 왜냐하면 나는 그가 유명인으로서 마라톤을 하는 것이 마라톤 보급에 얼마나 큰 기여를 하는 것인지 알고 있었고, 그에 대한 인사를 하고 싶었기 때문이다. 그와 나는 10여 분 차를 두고 결승선을 지나갔다. 그의 공식기록은 3시간 56분 13초, 출발할 때 사람들에 밀려 늦게 출발한 시간을 빼고 순수하게 달린 시간(넷타임)은 3시간 55분 07초. 나의 공식 기록은 3시간 47분 12초, 넷타임은 3시간 45분 19초. 그가 나보다 이 어려운 세상을 15년 더 산 것을 생각하면 나보다 훨씬 더 빨리 들어온 것이다.

마라톤을 완주한 50살의 그가 3년 전까지만 해도 112킬로그램 나가던 '뚱뚱보'였다는 것을 감히 상상이나 할 수 있겠는가. 그리고 그 3년도 세계에서 가장 바쁜 사람 중의 한 명인 독일의 외무장관으로서 성공적으로 일을 수행해온 시간이었다.

■

해가 바뀌고 그의 달리기 자서전이 독일에서 베스트 셀러가 되었다는 소식을 듣고 인터넷을 통해 그의 책을 신청했다. 책을 읽기 전에는 정치인이 쓴 달리기에 관한 책에 대해 솔직히 별 기대를 하고 있지 않았다. 재수 좋게 살빼기에 성공한 것을 가지고 정치적 목적을 가지고 요란하게 떠드는 것이라고 생각했다. 그러나 책장을 한 장 한 장 넘기면서 내 몸에는 감전된 듯한 전율이 흘렀다. 단순히 112킬로그램 나가던 몸무게를 일년 안에 37킬로그램 줄인 고통스런 살빼기 작전에 대한 과장스런 성공담이 아니었다. 달리기를 통해 근본적으로 자신을 개혁해가는 피셔의 사색과 노력의 과정 하나하나는 나 자신의 삶을 반성하게 만드는 메스와 같이 느껴졌다.

모든 사람들에게 성공한 것으로 보이는 독일의 현직 외무장관은 자신의 현재를 부정하고 근본적인 자기개혁을 시도하였다.

그는 무엇보다도 자신을 찾고 싶었다. 정치적으로 성공한 생활 이면에는 항상 자아를 잃고 욕망만을 채우는 자신의 모습이 있었다. 피셔는 자신의 비만을 욕망의 잘못된 외형적 표현으로 인식하게 되었다. 그러므로 뚱뚱한 몸을 젊었을 때의 건강하고 날씬한 몸으로 다시 만드는 과정은 자신의 욕망 자체와 욕망을 표현하는 방식을 바꾸는 과정이었다. 그는 자신을 근본적으로 개혁하기 위해 생활의 우선 순위를 바꾸어야만 가능하다는 결론에 이르렀다. 그리고 그는 대단히 굳은 의지를 가지고 실천했으며 결국 성공했다. 그는 이 모든 것이 달리기를 했기 때문에 가능했다고 말하고 있다.

그는 운동을 좋아했지만 단순한 달리기는 무척 싫어했었다. 단지 살을 빼기 위해 운동은 해야겠고, 바쁜 일정 속에서도 계속 할 수 있는 운동은 달리기밖에 없다는 생각에 처음에는 고통스럽게 달리기 시작했다. 그러나 100미터도 뛰기 힘들어 헉헉대던 뚱보 피셔는 단 일년 만에 한밤중에라도 10킬로미터를 뛰면서 스트레스를 풀고 자신을 재충전하는 '달리기 중독자'가 되었다. 피셔는 달리기가 주는 자신만의 시간과 명상 효과를 즐기면서 자신과 깊은 대화를 나눌 수 있었다. 그는 달리기를 통해 외적인 자신의 모습을 찾는 과정에서 내적인 평온과 조화도 찾을 수 있었다. 그는 달리기를 통해 '자기 자신 속에 있는 부처'를 만날 수 있었다.

■

요즘은 운동을 해야겠다며 달리기에 관심을 보이는 사람들이 많아졌다. 아마 바쁜 사회 생활을 하는 사람들일수록 운동할 수 있는 조건을 이것저것 다 따져보면 결국 요쉬카 피셔가 내렸던 결론, 언제 어디서든 할 수 있는 운동으로 달리기가 가장 좋다는 생각에 이르게 될 것이다. 나는 달리기를 10여 년 즐겨왔고, 마라톤을 즐긴 지는 6년 정도 된다. 한 3년 정도 전만 해도 달리기를 즐기는 젊은이는 많지 않았다. 보통 40대 들어서야 비로소 건강에 대해 관심을 갖고 생활 속에서 구체적인 실천을 하게 되기 때문이다. 그러나 3년 전부터 달리기를 즐기는 사람 중 20, 30대 젊은층이 차지하는 비율이 급격하게 증가하고 있다.

나는 최근 달리는 사람들이 급속하게 늘고 있고 특히 젊은층의 비율이 높은 이유를 일반적으로 가지는 '건강'에 대한 개념이 바뀌고 있기 때문인 것으로 생각하고 있다. 즉 우리 사회가 오랫동안 유지해온 연공서열의 조직에서는 큰 과실만 없으면 정년을 보장받았기 때문에 건강은 '아프지 않은 상태'를 의미하는 것이었다. 그렇기에 활력적으로 일하지 못하는 사람도 '병에 걸리지 않았기 때문에' 건강하다고 생각했다. 그런 건강 개념은 언론에 그대로 투영되었다. 신문의 건강 관련 기사는 대부분 질병에 관한 것이던가 몸에 좋은 건강식 등이었다. 그러나 엄청난 국가적인 경제 위기를 거치면서 각 조직마다 연공서열 논리는 순식간에 무너지고 치열한 경쟁 논리가 도입되었다. 이 시기를 직접 겪거나 목격한 사람들은 건강도 경쟁무기라는 생각을 뼈저리게 느꼈다. 그래서 이제 건강은 '활력적으로 일하고 삶을 즐길 수 있는 상태'로 인식하게 되었다.

■

행복하고 건강한 삶을 위해서 운동이 필요하다는 것에는 누구도 반대하지 않을 것이다. 지금 이 책을 읽고 있는 독자 대부분은 지금 운동을 즐기고 있거나 항상 마음속에 운동을 해야지 하는 무거운 의무감 같은 것을 가지고 있을 것이다. 그렇지만 '내가 운동을 할 수 없는 이유' 또는 '내가 운동을 하면 안 되는 이유'가 워낙 강력해서 운동을 향한 첫걸음을 못 내딛고 있을 것이다. 시간이 없어서, 운동을 하면 낮에 지쳐서, 공기가 나빠서, 관절이 안 좋기 때문에, 술을 자주 마시기 때문에……. 그 중에서 가장 많이 거론하는 이유가 "시간이 없어서"다. 아침 7시에 출근, 저녁 10시에 퇴근해 지친 몸으로 집에 들어가 잠잘 시간도 없는데 언제 운동할 시간이 있느냐는 것이다. 잠이 보약인 것은 틀림없고, 꼭 필요한 수면 시간을 줄여가면서 운동을 할 수는 없는 것이다. 그러나 자신에게 솔직해보자. 자신이 노력하면 하루 중 운동을 위한 1시간을 만들 수 없는지. 퇴근 후 '어쩔 수 없는 술자리'가 정말 어쩔 수 없는 자리인지. 오히려 내가 '어쩔 수 없는 이유'를 만들어 즐기는 것은 아닌지. 독일 외무장관 요쉬카 피셔보다 더 바쁜지. 술 마실 것 다 마시고, 즐길 것 다 즐기며 정작 자신과 가정의 행복을 위해 하루 1시간을 쓸 수 없는지.

그렇기에 피셔의 생각이 옳다. 자신의 삶을 근본적으로 바꾸겠다는 생각을 하고 생활의 우선 순위를 바꾸지 않으면 하루 중 나를 위한 단 1시간도 만들 수 없다. 항상 바쁘기 때문에 먹는 것이라도 잘 먹어야 한다며 밤늦게라도 맛있는 음식과 술을 찾아다니던 피셔는 자신을 되찾겠다는 생각으로 생활의 우선 순위를 바꾸면서 아무리 바빠도 하루 중 자신을 위한 시간을 만들 수 있었다.

나는 독자 여러분에게 감히 제안하고 싶다. 자신의 행복, 가족의 행복을 기준으로 생활의 우선 순위를 재배열하라! 우리의 행동 대부분은 우리를 둘러싸고 있는 조건들과 관련되어 있다. 그리고 그런 조건들은 이미 우리의 사고에 영향을 미치고 있고 행동을 제한하고 있다. 그런 것들을 바꾸는 것은 쉽지 않다. 가장 변화하기 쉬운 것은 나 자신이다. 나 자신을 변화시켜야만 주변의 조건을 새롭게 인식할 수 있고 변화시킬 수 있다. 나 자신의 변화는 생활의 우선 순위를 재배치하는 것에서부터 시작한다. 돈, 명예, 지위 등의 획일화된 행복이 아니라 내가 중요시 여기는 행복을 위해 생활의 우선 순위를 재배치하라! 아마 생활의 우선 순위를 바꾼다면 가장 앞자리에 건강, 즉 운동이 올 것이다. 그러면 그렇게 중요하게 보였던 일들도 뒤로 밀려나 '행복'을 위한 시간, 운동할 수 있는 시간을 만들 수 있을 것이다. 건강이 행복의 기본 조건이라고 누구나 말한다. 건강을 위해서는 운동을 해야 한다. 진정으로 행복하고자 하는 사람은 운동에 시간과 노력을 투자한다. 이런 시간과 노력을 투자하지 않는 사람은 행복할 자격이 없다고 감히 말하고 싶다.

■

나는 주변 사람들에게 운동으로서 달리기를 권하고 있다. 달리기가 가장 좋은 운동이라는 것은 알고 있지만 재미 없어서 못하겠다고 하는 사람들이 많다. 아무리 몸에 좋다고 해도 즐겁지 않으면 어떻게 운동을 계속 할 수 있겠는가. 그러나 전세계 수천만의 사람들이 단지 건강에 좋다는 이유만으로 달리기를 하고 있지는 않을 것이다. 나는 한마디로 달리기의 재미를 말할 재주는 없다. 그러나 달리기에는 말로 다 할 수 없는 즐거움이 있다. 일반 시민 러너들이 즐기는 달리기는 상대방과 경쟁하여 이기려고 하는 것이 아니다. 어떠한 고난도의 기술을 배워 써먹는 재미가 있는 것도 아니다. 사람들마다 자신이 느끼는 달리기의 즐거움이 다를 수 있다. 단지 그것이 나와 비슷한 것이라고 짐작할 뿐이다. 나는 이 책을 읽으며 피셔나 내가 달리기를 좋아하는 이유에서 많은 공통점이 있다는 것을 발견했다. 그래서 내가 달리기를 좋아하는 이유를 열거하는 것으로 달리기의 재미와 좋은 점을 대신하겠다. 혹 독자 여러분의 가슴에 닿을 수 있는 것이 있어 한 명이라도 이 책을 놓으면서 운동화를 신고 달리기를 향한 첫걸음을 내딛기를 바랄 뿐이다.

달리기는 신발 하나, 가벼운 운동복만 있으면 언제 어디서든 즐길 수 있다. 경제적으로 시작할 수 있다. 물론 좀 빠져들면 좋은 신발 사려고 돈이 좀 들어가지만. 몸무게 조절에 신경 쓸 필요가 없어 먹고 싶은 것을 마음껏 먹을 수 있다. 자연 친화적이다. 밖에서 뛰면 계절의 변화를 느낄 수 있다. 생활 속에 화제가 생겨 다른 사람과의 대화를 부드럽게 끌고 나갈 수 있다. 땀을 흠뻑 흘리니 피부가 탄력있고 부드러워진다. 기분 나쁠 때도 뛰고 나면 기분이 좋아진다. 나의 몸 전체를 산소목욕 시킴으로써 아침 기분이 상쾌하다. 나만의 시간을 가질 수 있다. 달리는 중 깊은 명상에 빠지거나 한 가지 생각을 깊이 할 수 있다. 어떤 때는 무아지경의 상태와 같이 머릿속이 맑아지는 것을 느낄 때가 있다. 나의 깊은 내면에 있는 욕심을 조금씩 버릴 수 있다. 점점 나 자신을 더 잘 알게 되는 것 같다. 이 책의 원제 '나 자신을 찾기 위한 장거리 달리기(Mein langer Lauf zu mir selbst)' 처럼.

막다른 골목에서

40대에 접어드는 시기에 많은 사람들에게 문제가 나타난다.
이 시기는 생물학적인 노화 과정과 복잡하게 얽혀 있는
수많은 정신적 갈등, 인생의 갈등이 연결되어 있는 시기다.
이런 혼란스런 시기에 먹을 것에 탐닉해 자칫 자신이
바라지 않는 심각한 결과를 초래할 수도 있다.

인간의 문명은 수많은 축복과 질병 속에서 이루어져왔다. 순전히 내 개인적인 생각이지만 그래도 축복이 훨씬 더 많았던 것 같다. 이 말은 다른 어떤 곳보다도 오늘날 서구 복지사회에 적용되며, 적어도 전세계 모든 문화의 사람들에게 거의 보편적으로 거론되는 복지사회의 매력을 암시하는 말이기도 하다. 그렇지만 아담과 이브가 에덴 동산에서 쫓겨난 이래 고통의 골짜기가 된 세상에는 실제로 인간의 손으로 만든 것은 아무것도 없었다. 인간의 손으로 만든 것이 있었다면 즐거움 이외에는 어떠한 고통도 없었을 것이다.

사람이라면 누구나 복지와 물질적인 안정을 추구한다. 그리고 이미 그러한 것을 얻은 사람도 있다. 그러나 그들 중 많은 이들이 그런 물질적 안정에 따른 예기치 않은 부작용에 괴로움을 겪고 있다. 오늘날 잘사는 나라에서는 많은 사람들이 비만 상태에 처해 있다. 오늘날 비만은 가장 흔히 볼 수 있는 문명병 중의 하나다. 수많은 사람들이 비만 때문에 육체적 · 정신적 불행을 겪고 있다. 또 비만으로 인한 질병 때문에 엄청난 의료비가 들어가고 있다. 의료비의 30~50퍼센트는 운동 부족으로 인해 발생하는 질병 때문에 들어가는 돈이다. 많은 사람들이 너무 뚱뚱해져서 건강을 해치고 있다. 따라서 비만을 '과잉으로 인한 병'이라고 부를 수도 있을 것이다.

오늘날 지구상에는 정말 말도 안 되는 일이 벌어지고 있다. 한쪽에서는 먹을 것이 넘쳐 병을 얻는데 또 다른 쪽에서는 수천만 명의 사람이 굶주림에 시달리고 있고, 심지어 죽어가기도 한다. 유엔 세계식량계획(WFP) 보고서에 따르면 1999년에만 세계적으로 8억 명 이상이 영양 부족으로 인한 고통을 겪고 있다. 반면 수천만 명의 사람들이 물질적 과잉 상태에 있고, 문명의 부작용이라 할 수 있는 운동 부족으로 인해 너무 뚱뚱해져 영양 과잉에 시달리고 있다. 잘사는 나라에서는 부유층만이 아니라 국민 전 계층에서 많은 사람들이 영양 과잉으로 고통받고 있다. 독일의 경우, 국민의 약 20퍼센트 정도가 비만 상태(우리나라의 경우, 1999년 아주대병원과 비만학회 공동으로 병원을 방문한 1만 5145명을 대상으로 한 조사에서 남자는 6.1퍼센트, 여자는 5.9퍼센트가 비만 체형인 것으로 나타났다: 옮긴이)다. 특히 여성이 남성보다 훨씬 더 심각하다. 또 스스로 너무 뚱뚱하다고 생각하는 사람이 독일 인구의 4분의 1이 넘는 2500만 명에 이른다. 비만에서 가장 문제가 되는 것은 말할 필요도 없이 영양 과잉과 운동 부족이다. 영양 문제는 단지 양뿐만 아니라, 영양의 종류, 공급원 그리고 영양의 조합 등을 고려해야 한다. 영양에 대한 정보 부족과 무관심으로 인해 많은 사람들이 잘못된 식생활을 하고 있다.

체중에 문제가 있는 사람들은 심각한 정신적 갈등을 겪는 경우가 많다. 특히 40대에 접어드는 시기에는 많은 사람들에게 문제가 나타난다. 이 시기는 생물학적인 노화 과정과 복잡하게 얽혀있는 수많은 정신적 갈등, 인생의 갈등이 연결되어 있는 시기다. 이런 혼란스런 시기에 먹을 것에 탐닉해 자칫 자신이 바라지 않는 심각한 결과를 초래할 수도 있다.

사실 인생에서 아무리 어려운 문제라도 이론적으로는 아주 단순하게 말할 수 있다. 비만 문제도 마찬가지다. 인간은 생존하기 위해 먹고 마셔야만 한다. 육체라는 유기 조직은 진화를 거치면서 영양을 공급받고 번식을 통해 자신을 유지하도록 만들어졌다. 또한 인간은 평화와 모든 것이 넘치는 파라다이스 상태에서 생존하는 것이 아니라, 인간을 둘러싼 수많은 위험과 싸우면서 또 다른 쪽에서는 부족한 식량 때문에 인간끼리 싸우는 상황에서 생존해야 한다.

우리 몸은 이런 위험과 무엇인가 부족한 상태에 적응하도록 진화해왔다. 인간, 호모 사피엔스는 진화 과정에서 자연이라는 열악한 조건 속에서도 어떤 특별한 시기에 살아남기 위해 생물학적인 조건들을 획득해왔다. 인간 신체의 가장 아래쪽에 있는 것, 우리가 다리라고 부르는 것은 인간이라는 유기체를 지탱하고 재생산하며 발전시키는 데 중요한 의미를 갖는다. 이런 점은 우리 신체 구조의 비율로만 보아도 알 수 있다. 우리의 몸은 자동차나 비행기, 사무실에서 앉아 일하는 구조에 적합한 것이 아니라 자연 속에서 뛰어다니기에 적합하게 발달하여왔다.

인간의 육체가 달리기를 하도록 생물학적으로 진화해왔다는 것은 잘 훈련된 육상 선수들이 부상 없이 달릴 수 있고, 달리기 시작한 지 일정 시간이 지난 후에는 추진력과 같은 어떤 것을 느낀다는 사실을 통해서 알 수 있다. 인간의 육체는 100킬로미터 이상 장거리를 지속적으로 달릴 수 있으며, 달리기에 알맞도록 힘을 비축할 수 있다. 인간은 이러한 능력으로 인해 생존할 수 있었던 것이다. 인간은 달리는 능력을 가지고 태어난 것이다.

—『달리기의 심리학』, 빌리 쾰러

오늘날 현대생활의 대부분은 앉아서 하는 활동으로 이루어지기 때문에 사람들은 자신의 진화적인 특성에 맞는 활동을 할 수 없다. 뛰면서 살도록 되어 있는 인간의 진화적 특성과는 근본적으로 뒤바뀌어 있는 상황이다. 이렇게 앉아서 일할 수밖에 없는 환경에 인간은 빨리 적응할 수 없다. 그 결과 사무실과 컴퓨터 앞에 앉아 일하는 많은 사람들에게 결코 사소하지 않은 육체적 · 정신적 문제가 발생한다. 많은 위험에 둘러싸여 있고 부지런히 움직여야만 겨우 먹고살 수 있었던 석기시대 인류와 비교해보면, 현대인은 자신의 에너지 탱크인 지방세포를 덜 필요로 하면서도 항상 너무 많이 공급하고 있다. 우리 몸의 에너지를 비축하는 주요한 저장 탱크인 지방은 항상 넘치는 상태에 있다. 그래서 육체는 기형적으로 변하고 뚱뚱해지며 결국은 질병을 얻게 되는 것이다.

영양 공급은 사람이 자신을 유지하기 위해 매일 반복적으로 항상 새롭게 활동할 수 있는 힘을 주는 기본 토대다. "존재가 의식을 규정한다"라는 마르크스의 명제는 인간 존재의 정신과 육체의 상관관계를 정확하게 밝힌 말이다. 왜냐하면 먹을 것을 안정적으로 공급하는 것은 모든 사회, 경제, 정치의 근본 토대를 형성하는 것이기 때문이다. 배고픔이라는 것은 유럽 대륙에서도 수천 년간 인류의 역사와 함께 해왔다. 유럽에서 배고픔이 사라진 것은 기껏해야 최근 몇십 년 전부터이다. 가뭄, 흉작, 전쟁, 재난, 이런 것들이 닥칠 때마다 빈곤층 사람들은 굶주림으로 수없이 죽어갔다. 빈곤층은 아주 최근에야 발달된 현대적 농업 기술과 구호단체 덕분으로 영양 결핍 상태에서 벗어날 수 있게 되었다.

예전에 많은 사람들이 굶주리던 시기에는 불룩한 배와 호사스럽게 먹는 것이 부와 권력의 상징이었다. 무언가 넘친다는 것은 소수의 부자와 권력자들의 공개적인 표시였다. 그러나 나머지 대부분의 사람들은 매일 먹을 빵을 구하기 위해 밭을 갈아야 하고 투쟁해야만 했다. 그 당시 가난한 사람들은 배고픔의 고통을 느껴야만 했고 외형적으로도 비쩍 마를 수밖에 없었다. 반면에 부자들은 뚱뚱한 모습을 통해 자신의 지위와 능력을 과시하였던 것이다.

그러나 농업이 산업화되고, 다국적 기업이 생필품을 생산하고, 계속적인 연구와 기술 개발로 먹을 것이 풍족해진 현대의 대중복지사회에서 뚱뚱하다는 것은 더 이상 부자들만의 전유물이 아니다. 이제는 오히려 그 반대가 된 상태다. 많이 배우고 돈과 권력을 소유한 사람들은 자신의 날씬한 모습을 늙을 때까지 유지한다. 오늘날에는 수백만 명의 사람들이 과체중으로 고통을 겪고 있고, 자신이 뚱뚱하다고 느끼고 있으며, 심지어 비만으로 인한 질병으로 죽음에 이르고 있다. 당뇨나 심장 질환, 순환기 질환은 상당 부분 잘못된 영양 공급과 비만에 그 원인이 있다. 심근경색 발병 빈도는 정상 체중의 사람보다 뚱뚱한 사람에게서 몇 배나 높게 나타난다. 그러므로 결론은 간단하다. 적게 먹고 많이 움직여라. 비만의 해결 방법은 이론적으로는 아주 간단하다. 그러나 비만을 치료하고자 하는 사람이 실제로 비만 치료에 들어가면 극복해야 할 장애물이 너무 많아 다시 날씬해진다는 것은 상당히 힘들고 어렵다.

오늘날 비만이라는 문명병을 치료해준다며 번창하는 산업이 있다. 그리고 세계적으로 매년 수백만 개의 매장이 생기고 있다. 실제로 비만으로 인한 고통은 크다. 또한 수없는 다이어트를 해보았지만 실패했던 사람들의 고통과 실망도 크다. 이에 상응하여 비만 치료를 약속하는 회사들의 과장 광고도 심하고 매출도 크다. 최근 어떤 회사는 잠자면서 살을 뺄 수 있다고까지 자신있게 광고하고 있을 정도이다.

그 헛된 약속에 수많은 뚱뚱한 사람들이 돈을 바치고 있다. 다이어트와 비만 치료제에는 마시는 것, 식욕감퇴제, 별 맛 없는 빵이나 즙과 같은 것이 있다. 아주 간단히 말하면 현대 의약과 영양 산업이 제공하는 모든 것, 즉 약품과 영양생리학과 협잡꾼이나 사기꾼들이 내놓을 수 있는 모든 것이 매년 커가는 비만 치료 시장에 등장하고 있다. 날씬함을 약속하는 이러한 시장이 계속적으로 커간다는 사실은 최소한 이성을 가진 사람들로 하여금 현재 팔리고 있는 물건이나 약들의 대부분이 효과가 없을 것이라는 의

구심을 갖게 한다.

■

이 책을 읽고 있는 독자 여러분들이 혼란스러워하지 않도록 나는 여기서 두 가지 사실만은 분명히 해두고 싶다. 첫 번째로 말하고 싶은 것은 이 책은 추상적인 궤변을 쓴 것이 아니라 다만 나의 개인적인 체험과 실천적인 경험에 대해 쓴 것이다. 나는 이 주제에 대해 나 자신에 관한 이야기만 쓸 수밖에 없다. 이 책의 모든 내용은 나의 주관적인 체험일 뿐이라는 것을 꼭 밝혀두고 싶다. 두 번째는 뚱뚱해져서 오랫동안 고통을 겪어왔던 개인적인 체험을 통해 내 자신이 비만과 살빼기라는 주제에 관해 무엇을 써야 하는가를 너무나 잘 알고 있다는 것이다. 거만하고 잘난 체하는 사람들이 비만 문제에 대해 이야기하는 것을 혹시 신은 알아들을지 몰라도 나는 도무지 알아들을 수가 없었다. 그래서 나는 비만과 수없는 살빼기 노력의 실패가 미친 정신적인 결과를 철저히 내 체험에 입각해서 쓰겠다고 나 자신에게 약속했다.

1996년 여름에도 나는 181센티미터 키에 112킬로그램이나 나가는 거대한 몸을 이끌고 다녔다. 숨이 찬 것은 당연했다. 그러나 일년이 지난 후 저울은 75킬로그램을 가리켰다. 호흡도 편안해졌다. 나는 그 사이 어떤 체중 감량 치료도 받지 않았고, 어떤 약물도 복용하지 않았으며, 특별한 식이요법을 하지도 않았고, 물리치료나 날씬해지기 위해 사람을 고용하는 데 돈을 쓰지도 않았다. 돈 이야기가 나온 김에 덧붙인다면 그 일년 동안 내가 돈을 가장 많이 쓴 곳은 옷 사는 것이었다. 그러나 솔직히 이 일은 나에게 엄청난 즐거움을 주었다. 그것은 내가 살빼기에 성공했다는 확실한 징표였기 때문이다. 나는 달라진 생활 덕분에 오히려 더 많은 돈을 저축할 수 있었다. 먹는 데 돈을 쓰지 않으니 남을 수 밖에 없었다.

나는 일년 사이에 거의 40킬로그램을 줄였고, 기성복은 배가 조금 나온 20대 남자가 입을 수 있는 사이즈로 낮추어 입게 되었다. 당시 나는 개인적으로 주문해야만 구할 수 있는 48사이즈였는데 일년 후엔 28사이즈를 입게 된 것이다. 나는 공적인 생활을 하고 대중의 관심을 받는 사람이기 때문에 이러한 급격한 신체 변화를 숨길 수가 없었다. 그 영향은 아주 분명히 나타났다. 나의 신체 변화는 대중들의 이야깃거리가 되었던 것이다. 기민당에서 사민당과 녹색당 연립정부로 정권이 교체된 후 나는 ≪불바르 신문≫으로부터 공공연히 체중 감시(weight watching)를 당했다. 그 신문은 내 몸무게 변화에 대해 시시각각 실제 몇 킬로그램인지 구체적인 수치까지 보도하였다.

나는 이러한 언론의 관심을 의도적으로 피하려고 하지는 않았다. 그래서 지난 2년 동안 비만으로 고통을 겪고 있는 사람들로부터 수많은 질문과 편지를 받았다. 사람들은 내가 어떻게 눈에 띌 정도로 확실하게 체중을 줄일 수 있었는가와 그 비결이 어디에 있는가에 대해 알고 싶어했다. "피셔 씨, 당신의 다이어트 비결은 무엇입니까?" 이런 내용의 질문과 편지를 수없이 많이 받았다. 그 질문에 대해 나는 다음과 같이 대답할 수밖에 없었다. 어떤 비결도 없다. 요쉬카 피셔의 기적과 같은 다이어트 비결은 존재하지 않는다.

많은 생각을 해보고, 다른 사람들과 많은 대화를 나눠보고, 이런저런 경험을 겪은 지금 생각해보면, 112킬로그램이나 되었던 나의 몸은 나쁜 습관의 당연한 결과였다. 나는 거의 20년 이상 나 자신과 내 정력을 쓸데없는 데 낭비하였다. 나는 1996년 갑자기 개인적인 위기를 맞게 되었다. 거의 파국의 상태라고 느꼈다. 나는 완전히 새롭게 시작해야만 했다. 그렇지 않으면 나는 완전히 파멸할 것 같은 상황이었다.

결혼 생활이 깨진 것 말고도, 개인적인 생활 태도, 나의 외모, 생각까지 완전히 무너질 것 같은 절박한 상황이었다. 말 그대로 나는 무엇인가 근본적인 것을 결정하지 않으면 안 되었다. 50살의 문턱에서 나는 지금까지처럼 되는 대로 살든가 아니면 심각한 정신적 · 육체적 위기에 빠지지 않기 위해서 완벽한 변화를 시도하든가 선택의 기로에 서게 되었다. 나는 나의 삶 전체를 변화시켜야만 했고 그렇게 하기로 결심했다. 왜냐하면 48살 남자가 키 181센티미터에 몸무게가 112킬로그램이나 나간다는 것은 개인적인 위기를 가시적으로 보여주는 또다른 표현이었기 때문이다.

그 위기는 아주 포괄적이고 뿌리깊은 것이었다. 그리고 그것은 내가 책임을 져야 하는 위기였다. 그러므로 체중을 줄이는 것도 중요했지만 내 삶을 재정립하는 것이 더욱 중요했다. 나는 예전 방식대로 살려고 하는 내 생활 스타일을 바꾸어야만 했다. 그래, 무엇보다도 내 자신을 완전히 바꾸어야만 했다. 자포자기 상태에 빠질 수는 없었다. 그런 결심을 하고 실천하자 생활이 제대로 되기 시작했다. 그것도 아주 놀랄 정도로 말이다.

'내 성공 비법'을 밝혀야만 한다면 나는 이 책에서 그 무엇보다도 긴 이야기를 해야 할 것이다. 그것도 순전히 나의 이야기를 말이다. 내가 내 이야기만 하더라도 이해해주기 바란다. 그러나 이렇게 쓴다 하더라도 이 책에서 논의될 테마나 서술될 사건은 철저히 사실에 입각해 쓸 것이다. 나는 이 책에서 나 자신에 대해

1983년 날씬하고 민첩했던 신출내기 연방의회 의원 시절 모습

많은 이야기를 할 것이다. 그것은 내가 뚱뚱보에서 수도승과 같은 모습으로 바뀌는 변화의 원인과 과정을 이런 데 관심을 가지고 있는 독자들에게 알려줘야 하기 때문이다.

또한 이 책에서 언급되는 전문가들은 결코 의사나 영양생리학자, 물리치료사, 스포츠 의학자, 트레이너, 과학자, 달리기 선수로서 언급한 것이 아니다. 그들은 다만 내가 달리기를 통해 나의 새 삶을 얻기 위해 시도하던 중 만난 사람들이다. 그들은 내게 놀랍도록 긍정적인 영향을 주었다. 영양학, 심리학, 생리학, 스포츠 의학, 스포츠 과학, 물리치료, 이 모든 것들이 다 중요하다. 이 책에도 그런 전문적인 부문에 대한 서술이 있다. 그러나 이런 것들은 내 스스로 이미 체험적으로 알고 있거나 지적 관심에서 관련 문헌을 찾아보거나 전문가들과 개인적인 접촉을 통해 이런 전문적인 영역들의 연관관계에 대해 알고 난 후 이 책에 적었다.

전문가들과 전문 지식이 나에게 많은 도움을 주었다. 그러나 내가 나의 결심을 실행하는 과정을 거치면서 그것들에 대한 관심이 생기고 난 후에야 도움이 되었다. 내가 이미 개인적으로 그런 것들을 받아들일 준비가 된 후에야 비로소 오래 전부터 있어왔고 모든 면에서 정리되어 있는 그런 정보를 내 것으로 받아들이게 되었으며, 점점 더 체계적으로 나에게 적용하기 시작했다. 그 모든 것의 시작은 나 자신의 개인적인 결심이라는 것을 다시 한 번 강조하고 싶다.

내 자신의 의지가 이런 길을 실행하고 끝까지 어떤 결실을 볼 수 있게 만든 근본 힘이라는 것이다. 전문적인 조언이나 충고도 중요했고 지금도 중요하다. 그러나 무엇보다 중요한 것은 결심을 끝까지 밀고 나가는 추진력이다. 필요 이상의 몸무게로 겪는 고통만으로는 그런 결심을 하기에 충분치 않다. 더 근본적인 것이 필요하다. 어떤 것이 필요한가? 이 책에서 그것에 대한 대답을 하려고 노력할 것이다. 많은 것이 과거와 관련되어 있다.

마라톤이 가치있다면, 그것은 인간에게 그 이유가 있다.

닥치는 대로 먹었다

위기의 순간이 끊이질 않았다. 문제 해결에 대한 압박감은 계속해서 커지고, 책임감이 나를 더 억누르게 되었다. 스트레스는 참을 수 없을 정도로 쌓이고, 어디에도 탈출구는 보이질 않았다. 나는 나 자신을 공격하는 이러한 요소들과 맞서 싸우기 위해 정신적으로 육체적으로 무장을 해야만 했다. 그래서 나는 닥치는 대로 먹기 시작했다. 그리하여 나는 정신과 육체를 위해 항상 팽팽하게 불룩해진 배를 지닌 모습의 철갑 옷을 입게 되었다.

나는 어떻게 그리고 왜 그렇게 뚱뚱해졌는가? 아니 질문을 다르게 해보자. 호리호리하게 날씬했던 젊은이가 한 10년 사이에 배불뚝이 인간나무통이 된 이유는 무엇인가? 나는 1983년 3월, 35살의 나이에 처음으로 연방 국회의원이 되었다. 당시까지만 해도 나는 날씬한 모습을 유지하고 있었다. 75킬로그램에 배도 나오지 않았고, 비록 근육질은 아니었지만 운동을 많이 해 군더더기 살은 없었다. 그 전에 한 10년 동안 나는 스포츠를 무척이나 즐겼다. 나는 생활 속에서 항상 운동을 즐기고 있었다. 학생 시절에는 오랫동안 우리 마을 핸드볼 클럽에 가입해 활동했고, 축구도 거의 매일 했다. 그리고 그보다 많은 기간을 사이클 선수로 활약했다. 한마디로 말하면 내 몸은 제대로 단련되어 있었다.

그 시절 나는 사이클 선수로서 뷔르템베르크 선수권 대회에 나가 50킬로미터 이상 자전거를 탄 적이 있다. 아마 그때가 나의 스포츠 활동에서는 전성기였을 것이다. 그 당시 사이클 선수로서 훈련할 때 나는 트레이닝 기술과 방법, 영양 섭취에 대해 많은 것을 배웠다. 그런 것들이 많은 세월이 흘러 갑자기 다시 의미를 갖게 되었고, 내가 나의 결심을 끝까지 실천하는 데 커다란 도움이 되었다고 할 수 있다.

나는 아주 어린 시절부터 축구를 시작했다. 나는 거의 40년 이

1983년 연방의회 의원 시절 축구하는 모습

상 축구를 계속 해왔다. 하물며 내가 숨을 헐떡거리며 두 다리 달린 통나무통같이 아주 뚱뚱했던 시절에도 계속 했다. 이런 말은 안 하는 것이 좋을 것 같지만 하여간 1970년대 프랑크푸르트에서 급진적인 좌익 조직에 몸담고 있을 때는 육체적 건강도 엄격하게 요구되었다. 게다가 1970년대 내가 선택했던 생활은 물질적으로는 아주 궁핍했지만 스트레스는 거의 없었고 시간도 스스로 조절해 쓸 수 있었다. 그 당시에는 또한 어떤 것을 보상받고자 하는 소비를 할 수도 없었고, 시간을 내 마음대로 쓸 수 있었기 때문에 그런 보상적인 소비도 필요하지 않았다.

모든 시간을 내 자신을 위해 쓸 수가 있었다. 또한 그 당시는 지독히도 돈이 없었고, 모든 게 항상 부족한 시기였다. 그리고 매일 규칙적인 트레이닝을 통해 계속적으로 육체적 수련을 했던 시기였다. 매일 아침 팔굽혀펴기와 앉았다일어서기를 했다. 또 주말에는 무게를 많이 얹은 벤치프레스와 아령과 샌드백을 가지고 운동을 하기도 했다. 이 모든 것들이 내 몸이 항상 잘 훈련되고 이상적인 몸무게를 유지할 수 있도록 해주었다.

그렇지만 내 인생에 있어 단 한 가지, 달리기는 한 번도 좋아한 적이 없었다. 더구나 장거리 달리기는 전혀 생각해본 적이 없었다. 그 소모적이고 지루하고 사람을 끄는 매력이 없는 운동을 왜

하는지 이해가 안 되었다. 공 없이 달리는 것은 너무나 지루하다고 생각하고 있었다. 이런 생각은 일주일에 한두 번씩 어느 정도 규칙적으로 달리기를 하였던 1996년 가을까지 계속 되었다. 축구장 같은 곳에서 환호하는 관중들과 함께하며 누군가를 이기는 운동이 진짜 운동이라는 생각을 가지고 있었다.

■

우리 사회에서 남자나 여자나 30대는 자신의 인생에 있어 아주 중요한 시기다. 젊음은 점점 시들면서 그 종착점을 맞는 것도 바로 이 시기이다. 처음에는 젊음이 지나가는 것을 인식할 수 없으나, 조금 지나서는 분명하게 그리고 점점 빨리 지나간다는 것을 느낄 수 있다. 이 시기 개인의 육체적 과정과 정신적 발전 과정의 곡선은 이제 서로 반대 방향으로 움직이기 시작한다. 정신적인 곡선은 계속 상승하지만 육체적 능력의 곡선은 무자비하리만치 아래로 곤두박질치기 시작한다. 한 사람의 인생사적으로 보면 대개 30대 문턱에서 성장은 멈춘다. 즉, 좋은 의미든 나쁜 의미든 자신의 인격 형성은 대개 이 시기에서 끝난다는 것이다.

직업적으로는 대부분 가장 왕성한 활동을 하면서 가장 성과를 많이 내기 시작하는 시기이기도 하다. 그렇지만 이런 정신적인 업무 수행 능력이 발전하는 것과는 정반대로 육체적인 업무 수행 능력은 분명할 정도로 떨어지기 시작한다. 보통 이 나이에 직업적인 스포츠 선수들은 은퇴를 하거나 마지막 단계에 접어든다. 밤새 폭음을 하거나 어떤 일에 탐닉하거나 일 때문에 밤을 새는 일 등 젊은 시절엔 아무런 힘도 들이지 않고 할 수 있었던 많은 일들이 갑자기 확연할 정도로 힘들어진다. 그리고 한번 밤을 새고 나면 몸이 나빠진다는 것을 분명히 느끼게 된다. 그리고 이 시기 대부분의 사람들은 살이 찌게 되는데, 이전처럼 자신의 몸무게를 스스로 조절하기 쉽지 않게 된다. 게다가 직장에서 어느 정도 성공하여 책임이 점점 더 무거워지면 정신적으로나 시간적으로 완전히 다른 곳에 집중해야만 한다.

또한 이 나이대의 사람들 대부분은 아직 아이들은 어리고 가정에서 해야 할 일이 많은 상황에 처해 있다. 이런 주변 여건 때문에 시간과 에너지가 항상 부족할 수밖에 없다. 이런 주변 상황의 결과로 자유시간에는 완전히 풀어져 점점 더 나태해질 수밖에 없다. 왜냐하면 직업적 성공은 보다 나은 물질적인 생활 수준을 보장해주기는 하지만 성공에 대한 압박감도 점점 더 가중시키기 때문이다. 그리하여 스트레스는 더 많아지고, 자신의 모든 에너지를 일과 업적을 위해 쏟아붓게 만든다.

■

나는 우리 인간에게 나이로 인해 생기는 이런 모든 변화를 체험적으로 알게 되었다. 그것은 각 나이대별로 다르게 나타난다. 나는 이러한 변화를 몸무게가 늘어나는 것을 통해서만 아니라 축구장에서 자주 다치면서 잘 알게 되었다. 나는 그때까지 심각한 근육 손상을 입은 적이 없었다. 그런데 살이 찌고 나서는 계속해서 부상으로 인해 고생을 하게 되었다. 나는 그때까지 운동 전에 워밍업으로 달리기를 하는 것은 한 번도 생각해보지 않았다. 그런데 이런 나의 경솔함과 태만 때문에 잇달아서 허벅지나 장딴지 근육의 힘줄이 끊어지거나 찢어졌다. 부상으로 오랫동안 쉬면 운동 부족으로 급격하게 살이 쪘고, 살이 찌면 운동을 하다가 더 잘 다쳤다. 그러면 다시 살이 찌고……소위 비만의 악순환이 이루어진 것이다.

해가 갈수록 숨이 찼고 축구장에서 뛸 수 있는 거리도 점점 줄어들었다. 미드필드까지의 거리가 점점 더 멀게 느껴지기 시작했다. 결국에는 한 발짝도 제대로 뛰지 못하는 수준까지 이르렀다.

조금만 전력질주하고 나면 숨을 헐떡거리며 주저앉아야 할 정도였다. 발걸음은 더 무거워졌고 호흡은 더 가빠졌다.

'이럴 수가.' 헉헉대며 축구장에 벌렁 드러누워 하늘을 보며 생각했다. '피셔, 너 이제 무엇을 할 수 있겠니?' 젊은 사람보다 뒤지는 것은 나이에 따라 자연적으로 따라오는 것으로 인정할 수도 있다. 그러나 축구장에서 산소마스크 없이는 더 이상 뛸 수 없다는 것은 견딜 수 없는 슬픔이고 건강하지 못하다는 것을 나타내는 것이다. 이러한 생각이 나에게 조금씩 들기 시작했고 나중에는 너무나 절실하게 느껴졌다.

사실 나는 이러한 것을 인정하고 싶지 않았다. 그러나 이러한 느낌이 나를 슬프게 했고 나의 가슴을 후벼 팠다. 그렇지만 나는 이런 우울한 경험에서 어떤 것도 바로잡을 생각을 못하고 오히려 더 퍼마시고 더 왕성하게 먹어댔다. 지금까지도 그렇지만 나는 젊은 시절에도 축구 기술을 정교하게 구사하는 사람은 아니었다. 또한 미드필드에서 잘 뛰는 선수도 아니었다. 다만 나는 90분을 계속해서 뛸 수 있었을 뿐이다. 수비에서 자기 역할을 잘 하는 선수는 아니었다. 내가 막아야 할 상대 선수가 있을 때 거의 막아낸 적이 없다. 게다가 해가 갈수록 몸이 불어 이젠 더 이상 축구를 할 수 없다고 느껴질 때도 있었다. 그래서 나는 상대방하고 부딪

히지 않는 구석진 위치를 점점 더 찾게 되었다.

축구를 즐기는 사람들에게는 이런 식의 행동이 30대 중반에서 후반 무렵에 이제는 노인이 거의 다 되었다는 것을 말해주는 것이다. 결국 112킬로그램이라는 엄청난 몸무게를 지닌 나의 행동반경은 맥주 병뚜껑만큼 좁게 쪼그라들었다. 스스로 내 모습을 보고 견딜 수 없을 정도로 비참한 생각이 들기 시작했다. 그 당시 축구장에서 찍은 맥주통 같은 내 모습을 보면 지금도 얼굴이 화끈거린다. 세상에, 저게 내 모습인가!

내 몸무게가 급격하게 늘어난 것은 연방정치에 관여한 것과 밀접한 관련이 있다. 그렇기 때문에 이 시기에 있었던 정치적인 사건들과 내 개인적인 사건들에 대해 자세히 설명할 필요가 있다. 내가 연방의원에 당선되어 당시 서독의 수도였던 본으로 가게 된 것은 여러 가지 점에서 내 인생의 결정적인 분기점이었다. 왜냐하면 1983년 이후부터 내 몸은 조금씩 계속해서 늘기 시작했기 때문이다. 그리고 내 몸무게가 결정적으로 빠르게 늘어나는 방향으로 자리잡은 것은 1985년 12월 12일 헤센 주의 환경부 장관으로 공직에 처음 취임하면서부터다. 헤센 주 환경부 장관으로 일하던 시기는 상당히 사명감 있게 일했으나 개인적으로는 가장 혹독하고 안 좋은 시기였다. 그러나 이 기간 동안 나는 정말로 많은

축구장에서 찍은 맥주통 같은 내 모습을 보면 지금도 얼굴이 화끈거린다. 세상에, 저게 내 모습인가!

것을 배웠다. 특히 나 자신의 실수로부터. 그렇지만 헤센 주의 주도 비스바덴 환경부에서 내가 처음으로 환경부 장관으로 일했던 14개월처럼 정신적으로 육체적으로 한계 상황까지 갔던 적은 나의정치 생활에서 그 이전이나 그 이후에 한 번도 없었다. 그래서 1987년 첫 적록연립정권(사민당과 녹색당의 정권 : 옮긴이)이 결국 야당에 정권을 빼앗기는 것으로 끝났을 때 정치적 결과는 안 좋았지만 개인적으로는 상당히 유쾌하게 받아들였다.

내가 1985년 환경부 장관으로 지명되었을 때 내가 소속되어 있었던 녹색당은 정권 참여 문제로 심하게 분열되어 있었다. 반면 연립정권 파트너였던 사민당은 산업과 노동정책에 대해 거의 한 목소리를 내고 있었다. 야당도 같은 상태였다. 연립정권은 내각회의를 할 때 생각보다는 덜 혼란스러운 것으로 보였다. 그 당시 환경부는 실무적인 부분에서는 독자적으로 움직였다. 나 자신은 전문성이나 행정 능력보다는 단지 어렴풋한 감만을 가지고 있었다.

1986년 4월 26일 우크라이나 체르노빌 원전에서 핵누출 사고가 발생했을 때 연립정권은 심하게 의견 충돌을 일으켜 상호 적대적인 상태가 되기도 했다. 나는 그 당시 세계 최초이자 유일한 녹색당 출신 환경부 장관이었다. 녹색당은 반핵 정당이다. 그러므로 나는 공공적인 관점에서나 당의 입장에서도 핵구름이 몰고 올 결과에 대한 강력한 조치를 취하기 위해 분명한 태도를 취하고 있었다. 그렇지만 아무도 행정적으로 실행하는 실제 조치에 대해 관심을 갖고 있는 사람이 없었다. 하지만 공익적 관점에서 이것이 환경부 장관으로서 또한 녹색당원으로서 나의 입장이었다.

그렇지만 나는 아무런 권한을 가질 수 없었다. 사민당의 사회부 장관의 소관이었기 때문에 방사능 보호에 대한 권한도 없었고, 사민당 출신의 경제부 장관의 소관이었기 때문에 핵감시와 에너지정책에 대한 권한도 없었다. 나는 그 당시 처음부터 생태학 관련 전문성 때문에 당원들에 의해 환경부 장관으로 선출된 것이 아니라—사실 그 당시 나는 이 분야에 대해 잘 알고 있지 못했지만— 녹색당이 처음으로 정권에 참여한다는 현실적인 이유로 내가 정치적 포스트로 생각되고 있다는 것을 잘 알고 있었다. 그런 정치적 이유 때문에 전문가가 필요한 것이 아니라 정치 일반을 두루 아는 제너럴리스트가 필요했던 것이다.

단지 여러 어려운 상황에서 최소한의 기회를 이용할 줄 알고 거의 불가능할 것으로 보이는 과제를 정치적으로 개인적으로 수행할 수 있는 거친 능력만 있으면 충분했던 것이다. 그렇기에 내가 힘든 생활을 하게 될 것이라는 것을 알고 있었다. 그것은 머리

카락이 빠질 만큼 골치아픈 일이었다. 그 모든 것이 나의 정신적 · 육체적 부분을 상당히 갉아먹으리라는 것은 자명했다.

그 당시 첫 번째로 배운 것은 잠을 적게 자는 것이었다. 두세 시간 정도만 자고 난 후 비몽사몽간에 다시 일어나야만 했다. 그러면 심장이 쿵쿵거렸다. 항상 어떤 사안에 대해 고민해야 하기 때문에 내적인 휴식을 취할 수 없었다. 나는 처음으로 심장이 우리 몸 속에서 실제로 뛰고 있다는 것을 알게 됐다. 잠을 잘 수 있는 날은 점점 더 줄어들고 일해야 하는 시간은 점점 더 늘어갔다. 주말에도 일해야 하는 경우가 더 많아졌다.

위기의 순간이 끊이질 않았다. 문제 해결에 대한 압박감은 계속해서 커지고, 책임감이 나를 더 억누르게 되었다. 스트레스는 참을 수 없을 정도로 쌓이고, 어디에도 탈출구는 보이질 않았다. 도망갈 비상구도 없었다. 나를 위한 최소한의 여유도 없었다. 많은 사람들이 이러한 방식으로 살고 있다. 하지만 나는 나 자신을 공격하는 이러한 요소들과 맞서 싸우기 위해 정신적으로 육체적으로 무장을 해야만 했다. 그래서 나는 닥치는 대로 먹기 시작했다.

그리하여 나는 정신과 육체를 위해 항상 팽팽하게 불룩해진 배를 지닌 모습의 철갑 옷을 입게 되었다. 게다가 나는 담배를 끊어야만 했다. 환경부 장관으로서 자해하는 행위는 어울리지 않았기 때문이다. 1986년 3월 주 정부에서의 첫 한 달 동안의 과도한 긴장감 때문에 나의 면역체계가 완전히 이상음을 내고 있었다. 내 기억으로는 그렇게 내 몸이 상한 것은 평생 처음이었다. 아주 혹독한 감기에 걸려 하루 동안 누워 있었다.

사실 이것은 내 몸을 보호하라는 긍정적인 신호였는데, 이 일을 겪고 난 후 오히려 나는 계속 먹어대서 몸무게가 급속도로 늘기 시작했다. 그래서 나는 완전히 다른 모습의 사람이 된 것이다. 결국 나는 112킬로그램이라는 무시무시한 몸무게를 지닌 이상한 모습의 피셔가 되었다.

보상심리, 어떤 것으로라도 나 자신을 무장해야 한다는 것, 압박감, 이 모든 것이 나이를 먹어가는 과정과 더불어 과도하게 살을 찌게 한 가장 근본적인 원인들이었다. 그리고 나의 직무에 대해 책임의식이 강해 다른 것에 관심을 기울이지 않고 너무 일에만 집중한 나머지 나의 자아와 육체에 대해 소홀하게 되었다. 솔직히 그 당시 나의 일은 나의 주관적 · 객관적인 모든 힘들을 요구했다. 또한 그 당시 나의 일은 부담감은 컸지만 내가 하고 싶어하고 내가 관심을 가지고 있는 것들이었다.

나는 거의 모든 에너지를 정치적 성공을 위해 바쳤다. 또한 이 목표를 위해 다른 모든 것들을 뒤에 두었다. 나 자신조차도. 나의

비만의 절정기의 모습

모든 부정적인 변화도 이러한 목표를 달성하기 위한 것으로 인정했다. 나는 이미 나 자신을 합리화하는 데 도사가 되어 있었다. 어릴 적 내 고향의 나이 드신 어른들도 옆구리 살이 나처럼 불룩하게 삐져 나오지 않았던가? 그렇다. 모든 남자들은 그랬고, 그런 모습은 쾌남아의 모습이었다. 아니면 젊은 시절의 망상의 끝을 보여주는 것일까! 각 연령대마다 외형적인 특징을 가지고 있다. 어떤 연령대는 날씬하고 어떤 연령대는 풍만하다. 나이가 들어갈수록 각각 다른 특징을 보여준다.

'나도 실제로 뚱뚱해질 수 있다. 하지만 몸무게가 적게 나가는 것이 훨씬 더 건강하고 아름다운 모습이다.' 나의 뚱뚱한 모습이 가족, 친구들, 나에 대해 전적으로 호의적인 동시대 사람들 또는 나에 대해 비판적인 사람들이라도 이런 생각을 가질 수 있도록 경종을 울려주었을 것이다. 물론 이런 자기합리화는 단순하고 싱거운 이야기에 불과했다. 사실 나 자신은 속으로 그렇게 생각하지 않았기 때문이다. 나는 내 친구들의 비판이 옳다는 것을 알고 있었다. 그렇지만 실제 살을 빼겠다고 실천하기엔 나를 밀어붙이는 이유가 너무 약하다고 느꼈다. 이런 대단한 자기합리화는 나중에 일어난 사건들로 미루어보면 결국 내 모습을 똑바로 보고 싶지 않은 핑계에 불과했다.

나는 계속 뚱뚱해지는 과정에서 여러 가지 고통에 시달려야만 했다. 나는 식식거리는 내 숨소리를 들을 수 있었고, 거울을 통해 내 자신의 한심한 모습을 볼 수 있었다. 그러나 나는 뚱뚱해진 나를 다시 되돌릴 수 있는 힘이 없었기 때문에 나와 다른 사람들에게 비만을 미화하여 말하려고 했다.

그리하여 저울이 가리키는 숫자는 점점 더 높아졌다. 자꾸 십 단위의 숫자가 올라갔다. 양복도 정상 치수에서 배가 불룩한 사람들이 입는 치수로 바뀌었고, 와이셔츠도 자꾸 작아져 옷장에 수북히 걸려 있게 되었다. 여러 사람이 모이는 사우나에서 목욕을 즐기는 것도 자꾸 피하게 되었다.

그러나 실제로 피하려고 했던 것은 거울에 비친 나 자신의 모습을 보는 것이었다. 몸을 가려 내 배가 불룩해진 것을 숨기기 시작했다. 아니 내 자신 앞에서 나를 숨기기 시작했던 것이다. 그러나 아무것도 숨길 수가 없었다. 다만 일시적으로 가릴 수 있을 뿐이었다. 나의 외형은 점점 뚱뚱해졌기 때문이다. 계속적으로 늘어가던 나의 체중은 그와 비례해 팽창하는 피부 속에서 적당한 자리를 잡게 되었다. 더 이상 애매한 치수의 옷이 필요 없게 되었고, 몸에 꽉 끼는 와이셔츠도 외투도 필요 없게 되었다. 이제 비곗덩어리는 더 이상 봐줄 수 없는 상태로 유지되었다.

■

사람의 지방세포는 현대의 과잉사회에서 부당하리만치 나쁜 쪽으로 평가되고 있다. 문제는 우리 몸의 지방 자체가 아니라 너무 넘쳐 나는 지방이다. 권력과 부가 육체의 무게로 대변되던 현대 이전의 사회에서도 인간 몸 속에 있는 지방세포의 기능에 대해 분명히 알려져 있었다. 지방은 육체의 가장 중요한 에너지 저장소이기 때문이다. 우리 몸은 남는 에너지를 나중에 필요한 많은 활동을 할 때 불러내 산소와 결합해 쓰기 위해 여러 형태로 몸 속에 저장한다. 에너지 저장 방식은 네 가지 종류가 있다.

짧은 시간에 즉각적으로 에너지를 쓰기 위해서는 아데노신 3 인산(ATP)과 크레아틴 인산에 저장하고, 지속성을 지닌 고에너지 활동을 위해 탄수화물을 근육과 간에 글리코겐의 형태로, 즉각적인 것과 지속적인 것 사이의 활동을 위해서는 지방으로 저장한다. ATP와 크레아틴 인산은 빠르게 고갈되고 글리코겐 저장 능력은 제한되어 있다. 그러나 지방저장소는 가장 크고 가장 오래 유지된다. 지방저장소가 우리 몸의 가장 중요한 에너지 저장 탱크의 역할을 하기 때문이다.

우리 몸을 자동차에 비유하면, 비만의 경우 문제는 기름 탱크가 아니라 우리가 너무 많이 기름을 채우고 잘못 운영하는 것이다. 머리가 제대로 작동하지 않는 것이 문제다. 다시 말하면 프로그래밍이 제대로 되어 있지 않는 것이 문제다. 이것은 앞으로 이야기할 모든 것에 대한 중심적인 관점이다. 우리는 계속해서 너무 많이 채우고 너무 적게 사용한다. 그 결과는 무엇인가? 지방 저장소가 넘쳐 우리 몸은 뚱뚱해지고 비만해지게 된다. 이것은 우리 자신이 잘못 내린 결정으로 인한 후유증이다.

오늘날 비만은 많은 사람들이 고통을 겪는 문명병이 되었다. 이것은 우리 육체가 잘못 기능하고 있다는 것만을 나타내주는 것이 아니다. 오히려 심각하고 중요한 것은 현대사회에서 인간 육체의 재생산 구조가 지속적으로 방해받고 있다는 것을 나타내준다는 점이다. 비만한 사람들 대부분은 에너지 공급과 소비의 균형이 지속적으로 깨지고 있다. 그래서 영양을 너무 많이 때로는 잘못 공급하여 지방의 저장량이 많은 신체 구조로 바뀐다.

이런 문제를 해결하기 위한 대답은 너무나 자명하고 하나밖에 없다. 에너지를 적게 섭취하고, 더 많은 에너지를 사용하라. 보다 노골적이고 알기 쉽게 이야기한다면, 더 적게 먹고 당신의 엉덩이를 더 많이 움직여라. 그러나 현대의 일상생활에서 이를 실천하려면 말만큼 쉬운 일은 아니다. 그러므로 언뜻 보기에 간단해

보이는 이런 해결책을 실행하는 데 있어 방해가 되는 요인들을 극복하기 위한 방법과 전략이 꼭 필요하다.

뚱뚱한 사람 중에도 실제로 자신의 몸무게를 편하게 느끼는 사람들이 있다. 뚱뚱한 사람들 중 아주 드물게 볼 수 있는 이런 사람들은 진짜 축복받은 사람들이다. 이런 사람들은 자신의 현재 상태를 변화시키고자 노력할 필요가 없다. 오히려 자신의 뚱뚱한 상황과 생활 방식 속에서 합리적인 길을 찾기만 하면 된다. 그러나 대부분의 뚱뚱한 사람들은 자신의 상황으로 인해 고통을 받고 있고 불행하다고 느끼고 있다. 또한 자신의 비만 상태로 인해 정서적으로 억눌리고 있으며 손해를 보고 있다는 주관적인 생각을 가지고 있다.

그것 때문에 결국 고통을 겪기 시작하고 심리적으로 불안정하게 된다. 어떤 경우에는 자신의 고통스런 비만 상태와 값비싼 전투를 치르기도 한다. 다이어트를 한다든가 단식을 한다든가 약을 먹기도 한다. 그러나 이런 값비싼 전투는 대부분 일시적으로 성공하는 듯 보이나 결국은 실패하여 더욱 좌절감을 느끼게 된다. 살빼기 실패 후에는 몸무게가 다시 늘어나게 된다. 어떤 경우는 처음보다 더 살찌게 되는 경우도 있다. 또 이런 좌절감으로 인해 정신적인 상처을 받아 자신에 대한 믿음이 계속 약화된다. 양심의 가책도 심해지기는 하나, 이로 인해 식욕이 없어지는 것이 아니라 오히려 자포자기 심정으로 더욱 왕성해지는 경우가 많다.

■

뚱뚱한 사람들이 수없이 많은 다이어트를 시도하지만 입에서 당기는 강력한 힘을 이기지 못하고 실패한다. 다이어트나 단식요법을 시도할 때는 옛날 모습과 안녕을 고하고 비만을 이길 수 있을 것이라고 생각한다. 그러나 식욕을 이기기 힘들다. 나도 이런 실패를 몇 번 겪으면서 몇 년 동안 힘들었고, 좌절감을 숨기려고 노력했다. 그러나 이런 좌절감의 영향은 결국 밖으로 드러나 치명적인 것이 되었다. 나는 정신적으로 너무나 의기소침하게 되었다.

나의 살찐 시절의 끝 무렵, 그러니까 내가 개인적으로 완전히 변하기 시작하기 전 해에, 나는 이제 더 이상 어쩔 수 없는 상황에 몰려 개인적으로 자포자기하는 시점에 이르게 되었다. 그리하여 단식과 폭식을 오가며 내 몸무게는 매년 줄었다 늘었다 반복되는 요요 효과가 일어났다. 굶을 때는 몸무게가 천천히 빠지지만 고통에 찬 단식의 기간이 끝난 후에는 항상 그렇듯이 급격하게 다시 살이 찌게 된다.

그래서 나는 매신년 초에서 부활절까지의 단식기에 하는 것과 같은 굶는 살빼기는 더 이상 시도하지 않게 되었다. 술을 안 마시는 것은 몸무게를 줄이는 데 확실히 눈에 띌 정도로 영향을 미친다. 물론 금식기가 끝난 후에는 아주 짧은 기간에 다시 몸무게가 늘어나지만. 금식을 했다가 중단했다가 하는 사이 내 몸무게의 최고치는 매년 상승 곡선을 그리고 있었다. 그것은 나에게 지옥에 떨어지는 것 같은 좌절감을 안겨주었다.

그 당시 나는 정치 동료인 하이너 가이슬러를 나의 체중 감소 작전의 모범으로 삼고 있었다. 그는 나보다 15살 이상 나이가 많은 고령에도 불구하고 날씬함을 유지하는 금욕주의자였다. 그는 본 근처 라인 강변의 일곱 개 봉우리가 있는 지벤 산을 매일 아침 뛰면서 몸을 유지하고 있었다. 그는 알프스의 작은 산을 힘차게 기어올랐다. 이러한 생활 방식을 부러운 눈으로 쳐다볼 수밖에 없었던 나에게는 그가 제대로 된 훈련을 하는 것으로 보였다. 솔직히 나는 그가 스포츠를 즐기는 것과 그의 몸매, 그의 인내력이 부러웠다.

그의 생활 방식과 운동 방법이 나에게는 완전히 낯설고 불가능할 것같이 보였다. 감탄과 부러움, 체념이 그 당시 나의 마음속에서 뒤엉켰다. '피셔, 너는 그렇게 할 수 없어.' 속으로 이렇게 말하곤 했다. '너는 금욕주의자가 아니야. 그러니까 잊어버려. 너는 시작할 수도 없어!' 그 대신 나는 시간이 흐르면서 맛있는 특별 요리와 특산 포도주를 맛보는 기쁨을 발견하게 되었다. 실제로 특별요리와 특산 포도주를 맛보는 것은 정말 진귀한 체험이다. 그런 음식 자체는 예술성이 풍부하며 손으로 직접 만든 것이다. 또한 그것은 독일 문화의 중요하고 오래된 전통이다.

나는 기분이 안 좋거나 일을 제대로 처리해 기분이 좋을 때 부르군더나 보르도 산 특산 포도주를 두세 잔 마시면 우울한 11월에도 해가 다시 떠오르는 것을 느낄 정도로 생기가 돌았다. 이것은 결코 알코올의 영향은 아니었다. 아주 훌륭한 포도주와 축복이 깃들여진 향기의 오묘한 조화, 육체와 정신의 완벽한 조화가 주는 영향이었다. 그 당시 알코올이 나에게 확실히 영향을 미치고 있었던 것만은 사실이다. 내 감각을 무디게 만들어 나의 판단을 흐리게 한 적도 있다.

멋진 요리와 최고급 포도주는 값도 싸지 않고 칼로리도 적지 않았지만 대단한 만족감을 주었다. 나는 이미 그런 것에 입맛이 젖어버렸다. 또 실제로도 좋은 식사와 훌륭한 술을 먹는 것은 품위 있고 멋있는 일이다. 나는 항상 내 입맛에 맞는 것들을 먹었다. 그러니까 항상 모든 것이 맛있었고 그 엄청난 양의 음식들을 완전히 해치울 수 있었다. 아침에는 소시지, 햄, 치즈, 달걀 프라이, 잘 구운 베이컨, 버터와 잼을 바른 빵을 먹었다. 그리고 아침 식사 전에 구운 감자 먹는 것을 즐겼다. 야호! 점심은 마음이 약간 꺼림칙했지만 조금 사치스런 식사를 하였다. 물론 아침과 점심 사이에 자주 조그마한 소시지를 몇 개 먹었다. 추운 겨울 오후에는 감자튀김을 마요네즈에 찍어 먹는 것으로 간식을 즐겼다. 그리고 저녁에는 배가 팽팽해지도록 제대로 먹었다. 칼로리와 건강에 대해 조금도 신경쓰지 않았다.

그 당시에는 맛있는 저녁식사를 대신할 수 있는 것이 아무것도 없었다. 이 일을 의식적으로 시작하는 사람에게는 더욱 그렇다. 아직까지도 저녁식사는 나에게 있어 아주 신성한 일이다. 왜냐하면 저녁식사는 낮에 열심히 일하며 스트레스가 쌓인 나의 긴장을 풀어주면서 휴식을 취하게 하고 커뮤니케이션을 통해 사회적으로 평형감을 되찾게 해주기 때문이다. 이 경우의 커뮤니케이션은 신문을 읽거나 관심 가는 책을 읽으면서 갖는 철저히 나 혼자만의 커뮤니케이션을 의미한다. 나 혼자만을 위한 저녁식사, 이때 나는 긴장을 풀 수 있게 된다.

하지만 대부분의 경우 저녁 테이블은 친구들이나 가족들과 사회적인 접촉을 해야 하는 자리가 된다. 그런 자리에서도 완전히 긴장을 풀지는 못한다. 사실 식사를 하면서 얼마나 많은 이야기가 오가고 약속이 이루어지는지 다들 알고 있을 것이다. 식사를 하면서 많은 정보가 오가고 음모도 만들어지며 소모되는 것도 있다. 하긴 이런 것도 식사의 즐거움 중의 하나이지만. 풍선껌처럼 질질 늘어지며 언제 끝날 줄 모르게 고통스럽고 지루한 공식회의에서 많은 주제들이 맛있는 음식 한 숟가락과 훌륭한 포도주 한 방울만 있어도 보다 훨씬 더 간단하고 빠르게 처리될 수 있을 것이다. 나는 자주 밤늦게까지 회의하고 잔뜩 먹고 취할 때까지 마시면서 정치 이야기를 나누었다. 나는 당시 독일 수상이었던 헬무트 콜의 모습과 체격, 그리고 인상까지도 점점 닮아갔다.

나는 요리와 포도주를 감각적으로 즐길 줄 아는 뚱뚱보는 아니었다. 운 좋은 사람들은 그렇게 즐기면서도 자기 몸무게를 유지할 수 있다. 미식가적인 탐닉의 경우에 가장 중요한 문제는 항상 적당한 양을 유지하는 것이다. 그렇지만 적당한 양, 적당히 먹는 것, 그 적당함이라는 것은 무엇으로 알 수 있는가? 그것에 대한 대답은 대개 저울이 준다. 내 경험으로는 어떤 것을 좋아하면 과식하게 되기 때문이다. 적당함의 결과로 나타나는 나이에 맞는 부드러운 목소리, 정확한 분별력, 자신의 삶의 모습과 다른 것의 조화, 이런 것은 나의 모습과 관련이 없었고 지금도 여전히 나에

식욕이 왕성했던 시기의 모습

게는 그런 모습이 부족하다. 나는 수십 년간 많은 변화를 거치면서도 오늘날까지도 개인적인 생활 방식에 있어서는 일종의 극단주의에 머물러 있다.

이것이냐 저것이냐, 우익이냐 좌익이냐, 검은색이냐 흰색이냐. 항상 최대한 빠른 템포로 일을 한 다음 마지막에 보충하는 식이다. 사람들은 이런 방식이 옳다고 또는 틀리다고 판단할지도 모른다. 그러나 결국 개인적인 특성 문제다. 그것은 어쩌면 바꾸기 거의 불가능할 만큼 개인의 깊은 곳에 자리잡고 있는 것이다. 이런 내 성격에 걸맞게 나는 그 이후로 아주 다이내믹하게 먹어댔다. 결국 내 입을 통해 몸무게가 불어나게 된 것이다.

저울의 바늘은 거침없이 계속 올라만 갔다. 몸무게를 나타내는 숫자는 점점 높아져 나는 결국 아침마다 나를 괴롭히는 저울이라는 이름의 고문기계를 무시하게 되었다. 지옥에 있는 악마가 몸무게를 달고 싶어하는 거겠지 속으로 이렇게 생각하기도 했다. 나는 더 이상 아침을 좋은 기분에서 맞을 수 없었다. 만약 어떤 사람이 이미 자신의 모습을 알고 있고 그것의 원인을 변화시킬 수 없다면 어떤 일을 할 수 있을까? 저울은 이제 목욕탕의 한구석에서 사용하지 않은 채 방치되었다. 그럼에도 실제 사실을 무시할 수는 없었다. 왜냐하면 나는 눈에 띄게 그리고 몸으로 느낄 수 있을 정도로 점점 더 비만해져갔다.

나는 너무나 뚱뚱해져 결국 계단을 오르는 것과 같은 작은 운동에도 가쁜 숨을 몰아 쉴 정도로 호흡이 힘들어졌다. 내가 그러한 상황에 처해 있을 때, 나보다 단지 한 살 더 많은 나의 절친한 친구이자 형제인 한 사람이 심각한 수술을 받고 난 후 한 만찬에서 심장마비로 쓰러졌다. 그는 건강하지 못한 생활 습관을 가지고 있어서 나보다 조금 더 몸무게가 나갔다. '야, 이거 정말 심각하구나. 정말 심각해.' 나는 속으로 생각했다. 사치스런 생활은 바로 분명한 대가를 요구하였다. 양심에 가책을 느끼는 것 외에도 건강 자체에 대한 두려움이 내 가슴속에 밀려들기 시작했다. 밤에는 가슴을 찌르는 듯한 느낌이 들었다. 어떤 때는 잠을 자다가도 그런 것을 느낄 수 있었다. 또 그때부터 심장마비에 대한 두려움이 계속 머릿속에서 떠나질 않았다.

그 당시의 내 개인적인 생각을 요즘 돌이켜보며 나는 스스로에게 물어본다. 그런 경험을 겪으면서도 어떻게 살을 빼려고 시도하지 않을 수 있었겠는가? 나의 상황은 중병에 걸리는 상황처럼 내게 몰래 다가오는, 피할 수 없는 나쁜 운명의 결과는 아니었다. 이런 모든 상황은 결국 내 자신의 결정에 의한 결과일 뿐이었다. 완전히 내 스스로 선택했고, 그렇기에 상대적으로 쉽게 스스로 시정할 수 있는 것이었다. 그것은 내가 마음만 먹으면 언제라도 깰 수 있는 손에 쥔 달걀과 같은 것이었다. 그러나 나는 분명히 이러한 내 생활 습관으로부터 나 자신을 끌어낼 수 있을 만한 정신력이 없었다. 이것은 천천히 진행하는 일종의 자기 파괴의 행위이기도 했다.

나는 모든 힘을 다해 오랜 세월 동안 한 발짝 한 발짝 발전해온 나의 내적인 시스템에 매달려 있었다. 이성적으로는 분명히 탈출하고 싶어하나 그렇게 단순하게 벗어날 수 없었다. 나는 다람쥐 쳇바퀴 돌 듯 내 앞의 상황을 벗어나지 못했다. 그럴 때마다 나는 스스로 상당히 비참함을 느꼈다. 나는 그런 비참함을 다른 사람들에게는 철저하게 숨겼다. 현란한 말과 활발한 대화로 사람들이 내 안의 실제적인 생각을 눈치채지 못하게 하였다. 외형적인 것을 더 멋지게 꾸며 사람들이 그것에 관심을 갖게 만들었다.

그리고 꼭 필요한 건강 체크에 대해서는 단순한 연막 전술보다 더 적극적인 방법이 필요했다. 의사들이 하는 이야기란 항상 뻔해. 나에게는 도움이 안 돼! 이렇게 주위에 말하곤 했다. 그 당시 이러한 태도는 단호함으로 위장된 비겁함에 불과했다. 나는 실제 나의 혈중지방치에 대해 두려움을 가지고 있었기 때문에, 의사가 내릴 처방에 대해 겁내고 있었던 것이다.

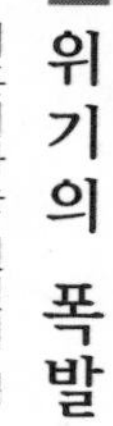

위기의 폭발

이혼이라는 현실이 내 눈앞에 분명히 있고 이제 나에게 길고 혹독한 고통의 시간이 닥쳐올 것이라는 것을 감지하는 순간, 나는 나의 생활 전반에 관한 중대한 결정을 해야만 한다는 것을 알고 있었다. 나는 달리기를 하기로 결심했다. 그리고 달리기 운동화를 신고 새벽의 여명 속으로 뛰어나가면서 나의 새로운 인생은 시작되었다.

뚱뚱한 사람 모두가 앞에서 말한 것과 같은 과정을 거쳐 반드시 큰 위기에 몰릴 것이라고 생각할 필요는 없다. 그러나 내게는 올 것이 왔다. 아내는 나와의 결혼 생활 13년을 청산하고 결별을 선언했다. 마른하늘에 날벼락이 내려치는 것 같았다. 마치 땅이 솟아 올라오고 하늘이 무너지는 것 같은 느낌이었다. 정서적으로 위기감에 몰려 짧은 기간 동안에 나의 모든 생활이 깨져버렸다. 앞으로 이야기하겠지만 나는 이혼의 진짜 의미를 깨닫는데 그리 많은 시간이 걸리지 않았다.

나는 우리의 결혼이 이제 더 이상 어쩔 수 없는 상황에 왔다는 것을 분명히 알게 되었다. 이혼이라는 현실이 내 눈앞에 분명히 있고 이제 나에게 길고 혹독한 고통의 시간이 닥쳐올 것이라는 것을 감지하는 순간, 나는 나의 생활 전반에 관한 중대한 결정을 해야만 한다는 것을 알고 있었다. 선택은 아주 분명했다.

선택 하나, 이전처럼 계속 그렇게 살면서 결국 파멸하는 것. 왜냐하면 이제 인생의 심각한 위기가 시작하는 시점에 뭔가 방향을 돌리는 행동이 없으면 나의 파괴적인 생활 방식은 계속 정도를 더해갈 것이고 결국 나는 거기에 적응해갈 것이기 때문이다. 선택 둘, 근본적인 변화를 시도하는 것. 파멸하지 않기 위해서는 지금 바로 완전히 변해야 한다. 내 개인 생활의 모든 프로그램을 완전히 변화시켜야 하고 나를 되찾기 위해 다른 모든 것들을 버려야 한다. 맛있는 음식, 안락한 생활, 포도주에 대한 탐닉, 불필요한 살을 내게서 지금 즉시 떼어내고 오로지 나 자신의 완전한 개조에만 집중해야만 한다.

나는 후자를 택했다. 나는 아주 짧은 순간에 엄청난 결정을 했다. 사실 긴 시간이 필요한 것은 아니다. 내가 지금 생각해보면 그 시간은 아주 짧았다. 나는 그 순간에 옛날의 내 몸매, 즉 1985년 젊은 시절의 아주 이상적인 체형으로 되돌아가고자 결심했다. 나는 그 당시만 해도 뚱뚱하지 않았고 숨을 헐떡이지도 않았다. 나는 진짜 내 것 같은 몸에 내 자신을 편하게 느낄 수 있었던 그 시기로 돌아가고 싶었던 것이다. 나는 다시 젊어질 수는 없었다. 그러나 다시 날씬해질 수는 있었다. 나는 그 순간 바로 그것을 계획하였다. 커다란 하와이안 와이셔츠를 구석으로 던져버리고, 야구모자를 뒤로 썼다. 강렬한 여름 태양도 더 이상 두렵지 않았다. 이제 더 이상 태양빛에 타는 것을 두려워하지 않게 되었다. 남 앞에 내 모습을 드러내는 것이 두려워 숨던 숨바꼭질을 더 이상 하지 않게 되었다. 아주 오래 전에 했던 트레이닝 프로그램을 다시 실천하기 시작했다. 아주 예전에 그 프로그램을 실행하던 때에는 나는 매일 팔굽혀펴기와 윗몸일으키기를 했었다. 나는 우선 수영장 주변에서 팔굽혀펴기를 시작했다.

하지만, 아, 이 절망감이란! 너무 많이 나가는 몸무게와 불룩하게 매달려 있는 배 때문에 나는 단 몇 개밖에 못하고 바닥에 엎어졌다. 그러나 의미는 있었다. 내가 정말 몇 년 만에 다시 운동을 시작한 것이다. 게다가 일찍이 나는 모든 운동이란 시작이 특히 힘들다는 것을 알고 있었다. 또한 최소한 몇 개월 동안이라도 꾸준히 계속 해야 한다는 것을 알고 있었다. 체중 줄이기와 근육 훈련에 있어 단기간 눈에 띄는 성공을 기대해서는 안 되기 때문이다.

내가 근본적인 변화를 시도한 이유에는 깊은 정신적인 위기감도 있었다. 어떤 면에서는 그 정신적인 위기감이 계획을 밀고 나가는 데 도움을 주었다. 왜냐하면 아내가 나를 떠난 것은 위에 커다란 스트레스로 작용하여 나는 식욕을 완전히 잃고 말았기 때문이다. 그것은 막 시작한 체중 줄이기에 긍정적으로 영향을 끼쳤을 것이다. 나에게 닥친 위기로 인해 다른 삶으로 변화하는 것이 더 쉬웠던 것이다. 포도주 등 술을 즐기는 시간이 현격하게 줄어들었다. 그렇게 함으로써 몇 주 지나지 않아 거의 술을 마시지 않게 되었다. 적게 먹고, 적게 마시고, 게다가 큰 정신적 고통을 겪으면서 내 체중은 하루가 다르게 줄어드는 기적이 일어났다.

이렇게 되자 나는 더욱 살을 뺄 수 있다는 자신감과 동기를 얻을 수 있었다. 만약 그렇지 않았더라면 나의 심리적 상태는 극도로 나빠졌을 것이다. 때마침 우연한 기회가 찾아왔다. 이탈리아에서의 휴가가 그 기회였다. 나는 이탈리아에서 휴가를 보내며 완전히 다른 삶으로 변화할 수 있었던 것이다. 나 자신만을 위한 시간을 갖게 되었으며, 이탈리아 토스카나의 농촌 식탁과 같이 단순하면서도 건강에 좋은 식사로 자연스럽게 바꾸게 되었다. 농촌 식탁은 지방질이 거의 없고, 생식이 많았으며, 채소와 탄수화물이 풍부하고, 올리브 오일이 있어 모든 게 맛있었다. 나는 그 당시 달리기에 좋다거나 건강에 좋은 식생활에 대해서는 전혀 몰랐다. 한 달이 지나서야 그런 것에 관심을 갖기 시작했다. 후에 영양 공급에 대해 제대로 알고 나서 그 당시를 되돌아보았을 때, 나는 그런 주변 환경과 일상 생활을 통해 아주 우연히 올바른 방법을 택하고 있었던 것이다.

나는 매일매일의 식단에서 동물성 지방을 계속해서 줄여 나갔다. 파스타와 채소가 식탁의 주된 메뉴가 되었다. 생선과 해산물을 빵과 과일, 샐러드와 같이 식탁에 올렸다. 간단히 말하면 토스카나에서 우연히 알게 된 그 식탁의 모습을 갖추었다.

하루는 아침에 시작된다. 그래서 나는 아침식사를 바꾸기 시작했다. 햄, 소시지, 치즈, 달걀, 베이컨, 버터, 이 모든 것이 식탁에서 사라지게 되었다. 대신 우선 콘플레이크로 바꾸었고 그 이후 바로 뮤슬리(옥수수, 현미, 귀리 등의 곡물로 만든 일종의 시리얼: 옮긴이)로 바꾸었다. 뮤슬리는 내가 10년 이상 무시해왔던 것이다. 과일, 우유, 뮤슬리가 내 아침식사의 기본 메뉴가 되었다. 진짜 자연으로 돌아가라는 옛말에 딱 어울리게 준비했고 식탁에서 풀 냄새가 날 정도였다.

실제로 나는 그 이후 정말 매일 그런 것으로 아침식사를 준비했다. 접시에 제철 과일과 함께 항상 신선한 파인애플, 바나나를 얇게 썰어 얹어놓고 저지방 우유에 시리얼을 먹었다. 그리고 오후 1~2시쯤 바나나 한두 개, 오렌지, 사과, 멜론, 포도, 배 같은 과일로 점심식사를 대신했다. 그 덕분에 내가 지금 금욕 생활을 할 수 있게 된 것인가? 아침식사로 우유에 시리얼을 넣어 먹고 과일을 곁들이는 것을 맛있다고 느끼는 사람은 금욕 생활에 가까워질 수 있을 것이다.

하여튼 나는 하루 생활의 중심을 살빼기에 두었고 또 상당한 성공을 거두었다. 그리고 대체로 그런 음식들이 맛있었다. 그러자 사람들이 나의 행동을 공공연히 금욕주의와 결부하여 생각하였다. 그러나 솔직히 말하면 나는 그 반대였다. 나는 내심 금욕주의와 관련된 그 어떤 관심도 가지고 있지 않았다. 나는 이전이나 지금이나 먹는 것을 매우 즐기고 좋아한다. 그러나 단지 다른 것을 적게 먹을 뿐이다.

그러나 몸무게를 얼마나 지속적으로 줄여갈 수 있을까 걱정이 되기 시작했다. 첫 번째 쇼크 후에 일정 시간이 지나자 배고픔과 끝없는 식욕이 다시 고개를 쳐들기 시작했기 때문이다. 우연히 그리고 외적으로 유리한 환경 때문에 할 수 있었던 결단의 시간이 이제 끝나기 시작한 것이다. 이제는 계획이 필요하게 된 것이다.

첫째, 내가 나를 강제할 수 있는 목표를 세워야만 했다. 한편으로는 혹독하면서도 강제성이 있지만 다른 한편으로는 현실성 있는, 즉 도달 가능성이 있는 목표를 세워야만 했다. 나는 나 자신으로 돌아가고자 하였다. 내적으로나 육체적으로 편하게 느낄 수 있는 나 자신의 모습으로. 나는 몸무게가 72에서 75킬로그램 나가던 시기가 가장 편했다. 나는 그 시기보다 13살이나 더 먹었다. 그러므로 나이를 고려하여 80킬로그램을 도달 가능한 목표치로 잡았다. 그 정도 몸무게에 도달하려면 약 30킬로그램 정도를 줄여야 했다.

둘째, 그런 목표에 도달하는 방법을 정해야만 했다. 나는 속으로 양초는 양쪽 끝에서 불을 붙이면 가장 빨리 탄다고 생각했다. 즉 굶으면서 운동을 한다면 가장 빨리 살을 뺄 수 있을 것이라고 생각했다. 그러나 단식은 나에게 너무나 어려운 계획으로 보였다. 배고픔에 굴복하고 말 위험이 너무나 크고 도저히 자신이 없었다. 그러나 만약 내가 다시 운동을 철저하게 실시해 칼로리를 완전히 소비한다면 단지 내가 단식하는 것을 뛰어넘어 내 몸이 요구하는 필요 영양분이 바뀌게 될 것이고, 그러면 나 스스로 건강에 좋은 영양분을 공급하고 싶은 욕구를 느끼게 될 것이라고 생각했다. 그러므로 나는 더 적게 먹어야만 했고 더 많은 칼로리를 소비해야 했다. 그래서 나는 속으로 이렇게 외쳤다. 먹는 것을 빨리 바꾸자. 그리고 운동, 운동, 운동.

셋째, 내가 철저하게 지킬 수 있는 원칙과 기본 수칙을 만들어야만 했다. 내가 계속 지키려면 당연히 그러해야만 했다. 48살의 중년에게 승부를 가리는 스포츠는 적당하지 않다. 즉 경쟁에서 이기기 위해서나 기록을 내기 위해 집착해서는 안 된다는 것이다. 게다가 나는 내 인생에서 상당히 급격한 변화를 시도하고 있는 것이었다. 이러한 변화는 나의 육체와 순환기 계통에 상당한 부담을 줄 수 있다. 그러므로 나는 과도한 육체적 부담을 피해야만 했다. 왜냐하면 과도한 육체적 부담은 나의 모든 계획을 포기하게 만들 수 있기 때문이었다. 내가 가지고 있는 육체적 능력을 악착같이 쏟아내는 것은 피했다. 이것은 내 나이의 사람들에게는 예상치 못한 위험을 초래할 수 있기 때문이다.

- 과감한 결단
- 끈기 있게 지속할 능력
- 철저히 현실에서 출발할 것
- 인내

이것은 네 가지 원칙이었다. 그리고 이것에 기초해 나는 결심을 실천하는 데 큰 도움을 준 세 가지 기본 수칙을 만들었다.

- 너 자신을 결코 기만하지 말라!
- 항상 너에게 과도한 부담을 주는 일은 피하라!
- 결코 포기하지 말라!

나중에 달리기를 시작했을 때 네 번째 수칙을 더 만들어넣었다. 그러나 그 네 번째 원칙은 내가 16킬로미터를 쉬지 않고 달리고 난 후 폐기하게 됐다.

• 한번에 뛰는 거리를 결코 줄이지 말라!

이제 실천적인 발걸음을 내딛는 것은 내 자신에게 달려 있었다. 매일 아침에 짧은 시간이라도 운동하는 것은 가슴과 팔, 배 근육에 좋은 영향을 미친다는 것을 예전부터 알고 있었다. 물론 이것은 매일 끈기있게 계속 할 때만 적용되는 것이다. 나는 그 당시에 규칙적으로 역기를 하면서 근육을 만들고 있었다. 그래서 한 발 앞선 결정을 내렸다. 그래, 스포츠 센터에 나가자. 그리고 칼로리 소모를 늘리기 위해 그것 외에도 매일 더 많은 운동을 하기로 했다.

이때 선택 대상에 오른 운동은 자전거, 수영, 달리기였다. 그런데 수영과는 친해질 기회가 없었다. 게다가 수영은 수영장이라는 공간이 있어야 하기 때문에 언제 어디서든 할 수 있는 것이 아니었다. 또 매일 수영장에 가야 한다는 것은 중도 포기할 가능성이 많은 것이었다. 그래서 수영은 선택 사항 중에서 제외시켰다. 그리고 나서 자전거 타기를 생각해보았다. 나는 어린 시절에 이미 사이클 선수도 해보았기 때문에 사이클과는 친한 상태라고 할 수 있었다. 그러나 매일 자전거를 탄다는 것도 상당히 어려운 일이었다. 만약 출장이라도 간다면 자전거를 항상 끌고 다닐 수는 없기 때문이다.

또한 살을 빼겠다는 내 목적을 위해서는 매일 상당히 많은 시간 자전거를 타야 하는데, 매일 이런 시간을 낸다는 것은 거의 불가능했다. 스포츠 센터에 있는 실내 자전거는 항상 가능하다. 그렇지만 장시간 타기에는 너무 단조롭다.

그래서 이제 남은 것은 달리기밖에 없었다. 달리기란 것은 우선 기술적으로 아주 단순하고 인간의 원초적인 운동이다. 이미 말한 바처럼 우리는 달리는 동물이다. "물고기는 헤엄치고, 새는 날고, 인간은 달린다." 1952년 헬싱키 올림픽에서 장거리(5,000미터와 1만 미터 : 옮긴이)와 마라톤에서 우승한 프라하의 '인간 기관차' 에밀 자토펙이 한 유명한 말이다. 달리기는 빠르게 뛰든 느리게 뛰든, 거리가 짧든 길든 간에 인간 본성과 자연에 가장 가까운 운동이다. 문명이 발전한 지금도 여전히 남아 있는 운동이다. 달리기를 하는 사람은 달리기라는 행위를 통해 인간 진화의 역사 속으로 다시 들어가는 것이다. 달리기는 수천 년의 인류 발전 과정에서 인간이 의지해왔고 생활과 생존이 가능하게 했던 생활 방식, 행동 방식과 밀접하게 관련되어 있다.

달리기는 또한 장비와 기술이 아주 적게 필요하기 때문에 내 목적에 딱 들어맞는 것이었다. 필요한 모든 것을 가지고 다니기에 쉽고, 언제 어디서든 특별한 조건 없이 할 수 있기 때문에 나의 목적에 거의 완벽하게 맞아떨어지는 것이었다. 단지 약간 걸리는 것은 내가 그때까지 한 번도 달리기에 관심을 가진 적이 없었다는 것이다. 나는 당시까지 단순한 달리기는 너무나 지루한 운동으로 생각하고 있었다. 그렇기에 달리기를 하겠다는 생각을 해본 적이 없었던 것이다.

그런데 이제 완전히 다른 관점에서 달리기에 관심을 가지게 된 것이다. 달리기는 기술적인 어려움이 거의 없다. 또한 장비도 운동화와 운동복만 있으면 된다. 그리고 언제 어디서든 할 수 있는 운동이고 게다가 엄청난 칼로리 소비를 보장해준다. 이런 모든 이유에서 나는 달리기를 하기로 결심했다. 출근하기 전 아침 일찍 하기로 했다. 그리고 달리기 운동화를 신고 새벽의 여명 속으로 뛰어나가면서 나의 새로운 인생은 시작되었다.

New Life

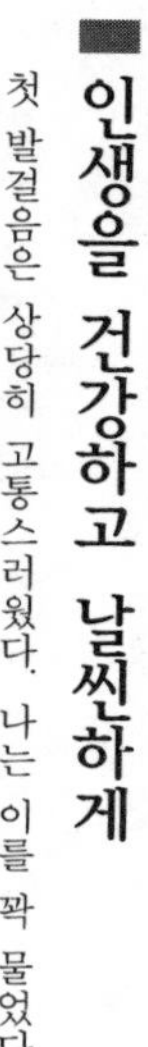

인생을 건강하고 날씬하게

첫 발걸음은 상당히 고통스러웠다. 나는 이를 꽉 물었다.
참아야 한다. 참아내자. 다시 한 번 참아내자! 가면 갈수록
내 몸에서 느껴지는 것이 완전히 달라졌다. 그리고 무엇보다도
아침 시작을 맞는 나의 정신적인 태도가 달라졌다.
나는 기분 좋게 아침에 일어났고 정신적으로나 육체적으로
항상 충만한 상태에 있게 됐다.
나의 전체적인 삶의 방식이 흔들리고 있었다.

아침 안개는 라인 강에서 수도 본의 정부청사 구역으로 밀려온다. 1996년 9월말인가 10월초인가, 나는 처음으로 조깅을 하기 시작했다. 그 전에 새로운 삶을 위해 조깅에 필요한 것들을 스포츠 매장에 가서 마련했다. 배가 불룩하게 나온 엄청 큰 사이즈의 셔츠와 조깅화를 샀다. 물론 그 당시에는 달리기에 대해 아무것도 몰랐기 때문에 신발의 기능이나 신발이 나한테 제대로 맞는지에 대해 살펴보지도 못했다. 내 앞에 펼쳐진 수백 미터를 달릴 때만 해도 이런 모든 것들이 반드시 필요하다고 생각하지 않았다.

그러나 다른 것보다도 모자 달린 땀복은 필요했다. 라인 강 방향으로 계속 뛰어갈 때 다른 사람들이 나를 알아보는 것을 피하고 싶었기 때문이다. 본의 정부청사 구역에는 기자들이 우글거린다. 아침 7시라 해도 상황은 똑같다. 아침 일찍 일어나는 기자들을 항상 조심해야 했다. 그래서 나는 아침 일찍 거리로 나서면서 모자를 이마 아래까지 깊게 눌러 썼다. 이때도 몸무게가 약간 줄어들기는 했지만 여전히 많이 나가는 상태였다. 그래서 내가 거리로 발걸음을 내딛으면 항상 촉수를 곤두세우고 있는 기자들에게 노출될 위험이 존재했다.

첫 발걸음은 상당히 고통스러웠다. 나는 너무나 많은 비곗덩어

1997년초 본의 라인 강변에서

리를 매달고 있었기 때문에 그저 슬금슬금 기다시피 뛰었다. 나의 몸은 조금 긴 거리를 달리는 데 익숙하지 못한 상태였기 때문에 더욱 고통스러웠다. 나는 아주 천천히 시작했다. 그러나 백여 미터 뛰고 나면 숨소리가 이미 거칠어지기 시작했다. 나는 고통스럽게 연방의회 건물 주변을 천천히 달렸다. 당시 나는 고지대 주변에 살고 있어서 라인 강변으로 나 있는 달만슈트라세를 뛰어 내려갔다. 연방총리의 사무실을 지나 노르트라인베스트팔렌 주 대표부 사무실도 지나갔다. 이곳은 어느 정도 내리막길이었다. 그리고 나서 라인 강변에 도착해서 연방의회 건물을 따라 뛰면 마침내 의원빌딩이 지나간다. 그리고 나면 작은 오르막을 오른다. 약 500미터 정도의 거리다.

나는 당시만 해도 이 거리가 상당히 부담스러웠다. 의원빌딩 주변에 있는 작은 오르막이 당시 나에게는 심장 파열의 언덕(Heart Break Hill, 미국 보스톤 마라톤의 32킬로미터 지점에 있는 언덕의 별명. 너무나 가파르고 힘들어 마라토너 사이에는 넘기 힘든 언덕을 여기에 비유하기도 한다 : 옮긴이)처럼 느껴졌다. 나는 이곳을 지나며 항상 달리기의 어려움을 느꼈다. 약 백 미터 정도의 오르막이었지만 나에게는 너무나 길게 느껴졌다. 그래서 나는 뛰는 것을 멈추고 이 작은 언덕을 터벅터벅 걸어서 올라갔다. '피셔, 너는 단지 두려워하기 때문에 걸어가는 거야!' 나는 속으로 이렇게 생각했다. 다음 날 나는 이를 꽉 물었다. 그리고 그 언덕을 뛰어서 올라가겠다고 결심했다.

시작은 이렇게 이루어졌다. 시작이 가장 중요했다. 그리고 거리나 시간, 자세 등 다른 어떤 것도 그 시점에서는 중요하지 않았다. 모든 것의 초점은 시작과 지속하는 것에 있었다. 이젠 마음이 약해지지 않도록, 흔들리지 않도록 그리고 포기하지 않도록 해야 했다. 참아야 한다. 참아내자. 다시 한 번 참아내자! 그리고 계속하자. 며칠이 지나 나는 눈에 띄게 발전하게 되었다. 나는 같은 거리를 점점 더 쉽게 뛸 수 있게 되었다. 달리는 중 씩씩거리는 거친 숨소리도 사라지게 되었다. 마침내 처음으로 연방의회 건물의 오르막을 중간에 한 번도 걷지 않고 뛰어서 올랐다. 그리고 가면 갈수록 내 몸에서 느껴지는 것이 완전히 달라졌다. 그리고 무엇보다도 아침 시작을 맞는 나의 정신적인 태도가 달라졌다.

좀더 분명하게 말하자면 나는 아침에 달리기를 한 후 샤워를 끝내고 나면 기분이 좋아지는 것을 느끼기 시작했다. 나는 기분 좋게 아침에 일어났고 정신적으로나 육체적으로 항상 충만한 상태에 있게 됐다. 비록 내 주변 상황은 여전히 나의 정신과 육체를 계속해서 괴롭히고 있었지만. 게다가 달리기 요법의 긍정적인 부수 효과가 빠르게 나타나기 시작했다. 우선 하루 일과를 마친 후 술집을 기웃거리는 것에 대한 유혹이 사라졌다. 나는 술 마시는 것보다 일찍 잠자리에 드는 것이 더 좋아졌다. 왜냐하면 내일 아침에 자명종이 귀찮을 정도로 울리겠지만 나는 아주 일찍 매일 하는 달리기 운동을 위해 밖으로 나가야 하기 때문이었다. 그리고 밤늦게까지 술집 기웃거리는 것을 포기하고 나니까 당연히 맥주나 포도주를 마시고 싶은 욕구도 사라지게 되었다.

술 한 잔이 다음 날 아침운동에 얼마나 부정적인 영향을 미치는가를 느끼고 있었고, 그것을 보충하기 위해서는 엄청난 노력을 다시 해야만 한다는 것을 알고 있었기 때문이다. 나는 점점 더 시원한 생수를 마시는 것에 익숙해졌다. 이런 역동적인 변화는 식사 때에도 이어졌다. 과일이나 과일즙, 샐러드, 채소, 생선을 더 먹고 싶어했다. 고기, 소시지, 포도주는 이제 매력을 잃어버렸다.

그러면서 술 마시는 양과 회수가 조금씩 조금씩 줄어들어 거의 안 마시게 되었다. 또한 음식도 채식 위주로 먹게 되었다. 이런 식사 방식은 내 개인의 과거사로 보나 가족사로 보나 놀랄 만한 일이었다. 아니 거의 혁명과도 같은 것이었다. 채식주의자라고? 나는 그때까지만 해도 누가 채식주의자라고 하면 상당히 비웃는 경향이 있었다. 채식주의가 건강에는 도움이 될 수 있겠지만 나 같은 식도락가의 입에는 말도 안 되는 이야기였다. 채식 위주로 차려진 식탁에 대한 나의 경험은 무엇보다도 이데올로기적으로 각인되어 있었다. 나를 포함해 맛있는 음식을 찾아다니던 당의 동료들은 신맛을 풍기는 채식주의 식당을 찾는 경우가 거의 없었다. 간혹 가더라도 결국은 맛이 없다는 결론을 내렸다.

채식 식당에 대한 이런 인상 때문에 채식 위주의 식사는 위장병을 고치기 위해 요양소나 병원에서 먹는 것으로 생각되었다. 그래서 성미가 까다롭게 보이면서 건강해 보이지 않는 건강 신봉자들이 그런 식당에서 고기 먹는 사람들을 경멸하며 풀뿌리를 씹는 것 같았다. 나는 채식 식당에서 채식주의자들과 채식주의 식사에 대한 선입견을 확고하게 갖게 되었다. 나는 채식주의에 대한 이런 문화적 충격을 받은 후에 더욱더 내가 좋아하는 돼지족발, 숫양의 넓적다리, 소갈비 등 육식을 찾게 되었다.

우리 피셔 일가는 오래 전부터 대를 이어 정육점과 농사일에 종사해왔다. 나의 증조할아버지, 할아버지 그리고 아버지, 큰아버지 모두가 이런 일에 종사해왔다. 오랫동안 내려온 우리 집안의 이런 직업 전통이 내게는 적용되지 않았지만 나는 어려서부터 고기와 소시지, 베이컨을 먹고사는 것을 당연하게 생각하였다. 가족 전통을 생각하면 이것은 놀랄 만한 일이 아니다. 그런데 내 나이 50살이 되어 이전까지의 생활 습관을 버리고 고기 맛을 잃었다는 것은 엄청 놀랄 만한 일이다.

어쨌든 그 당시 나는 한순간에 분명히 고기 맛을 잃어가기 시작했다. 나는 아주 심한 악몽을 꿀 때도 내가 채식주의자가 될지도 모른다는 생각을 해보지 않았다. 그러나 나는 채식 위주의 식사라는 완전히 반대 방향으로 발전하게 된 것이다. 그것은 특이한 경험 때문에 그렇게 된 것이 아니라 너무나 당연하게 그렇게 발전하게 된 것이다. 채식 위주의 식사로 조금씩 변해가는 데는 어떠한 이데올로기적 이유도 없었다. 다만 고기 맛을 잃었기 때문이다. 너무나 단순한 이유에서 그렇게 변한 것이다.

포도주도 비슷한 이유로 점점 안 마시게 되었다. 나는 포도주를 특히 적포도주를 너무나 좋아했다. 실제로 술은 우리들의 몸과 마음을 사로잡는 훌륭한 고대 문화 작품을 만들어내는 데 기여했다. 그러나 내가 여기서 말하는 것은 퍼마시고 취하는 술이 아니라 음미하는 술이다. 퍼마시는 술하고 음미하는 술은 완전히 다른 것이다. 그것은 소음과 음악의 차이만큼 큰 것이다. 내가 그 여름 토스카나에서의 불행을 겪고 난 후 바로 술을 끊기 시작한 것은 아니었다.

나의 전체적인 삶의 방식이 흔들리고 있다는 생각과 달리기를 새롭게 체험하고 나서 나는 술을 점점 멀리하기 시작했고 생수를 가까이 하게 되었다. 여기에도 어떤 이데올로기적 이유나 과학적인 판단은 없었다. 또한 강제는 더욱 없었다. 이유는 간단했다. 내가 술을 가까이 하고 싶지 않았던 것이다.

이런 일은 내가 분명히 기억하고 있는 날인 1996년 12월 초, 포도주 시음회에 초대되었을 때까지 계속 되었다. 그곳에서는 정말 귀한 포도주가 제공되었다. 이 포도주는 보르도 지방의 작은 포도 농원에서 만들어진 것이었다. 한 포도주 감식가는 하늘에서 내려준 포도주라고 극찬하며 거금을 들여 그 포도주를 샀다. 나는 이 포도주를 단호하게 거부했던 것이다. 왜냐하면 나는 오랫동안 나 자신과의 대화를 거친 후에 감미로운 포도주가 나에게 더 이상 아무런 의미가 없다는 결론을 내렸기 때문이다. 이유는 아주 단순했지만 확신에 찬 것이었다. 더 이상 그렇게 하고 싶지 않다는 것이 바로 그 이유였다. 그 이후로 나에게서 포도주라는 말은 완전히 사라지게 되었다.

나는 내 계획에 따라 스포츠 센터에 등록했다. 그리고 근본적으로 변화된 나의 일상생활이 천천히 그러면서도 확고한 윤곽을 그리기 시작했다. 아침 일찍 일어나 팔굽혀펴기와 윗몸일으키기를 하였고 그리고 나서 달리기를 하였다. 아침식사는 과일로만

하거나 콘플레이크와 뮤슬리, 커피로 대신하기도 했다. 그리고 늦은 오후나 저녁에 스포츠 센터에 가서 약 1시간 동안 팔, 가슴, 등, 배, 다리 근육을 만들기 위해 웨이트 트레이닝을 하였다. 그리고 나서 샤워하고 채소와 탄수화물이 풍부한 음식과 지방이 적은 생선으로 배부르지 않게 저녁을 먹었다. 그러고 나면 내 몸은 피곤해서 축 늘어져 바로 침대로 가고 싶은 생각밖에 나지 않았다.

그 당시 내 개인적인 모티브는 하루하루 변해가는 내 모습에 대한 주변에서의 반응이었다. 그러나 더 중요한 모티브는 아침마다 내 몸무게가 줄어들고 있다는 것을 확인하는 것이었다. 왜냐하면 몇 주 되지 않아 그 이전에는 그렇게 줄어들지 않던 몸무게가 일주일에 평균 700에서 1,100그램씩 줄어들었기 때문이다. 진짜 말 그대로 남들에게 자랑하고 싶을 정도였다.

물론 배고픔이 나를 힘들게 하였다. 나는 절대로 배부르게는 먹지 않았기 때문이다. 예전에 마음껏 먹고 마셔대던 시절이 절실하게 그리워졌다. 포도주 한 잔 맛보고 싶은 유혹도 생겼다. 그러나 몇 주가 더 지나자 그런 일에 대한 욕구도 사라졌다. 아침부터 해야 할 일이 너무나 많았기 때문이다. 항상 자명종이 울리고 나면 아침부터 항상 조금의 틈도 주지 않고 같은 과정을 밟았다. 결코 네 자신을 속이지 말라! 나의 첫 번째 원칙을 항상 명심했다.

나는 어떠한 경우에도 예외를 두지 않았다. 나는 그 사이에 트레이너들의 오랜 지혜를 듣게 되었다. 그것은 좋은 트레이닝은 고통스럽다는 것이다. 그때까지 나는 새벽부터 이를 악물고 매일 나와 싸웠다. 이런 새벽 운동을 하면서도 나는 나 자신에게 조금의 관용도 베풀지 않았다. 왜냐하면 나에게 중요한 것은 내 자신을 밀고 나가도록 만드는 내적인 힘이었기 때문이다. 내가 여기서 조금 게으름을 피우게 된다면 나는 꺾일 것이 분명하였다. 내가 스스로 오늘은 추워서 또는 기분이 안 좋아서 또는 너무 피곤해서 뛸 기분이 아니다라고 생각하면 내 계획을 확실하게 끝까지 밀고 나가지 못할 것이다. 이런저런 변명과 핑계가 나의 계획을 압도할 것은 분명했다. 어떤 리듬을 타려면 어떤 경우라도 예외를 허용해서는 안 된다.

그래서 나는 항상 새벽에 일어나 뛰러 나갔다. 날씨와 상관없이 항상 그렇게 했다. 나의 리듬을 발견하고 매일의 의식에 익숙해져야 내 안에 있는 치사한 마음을 쫓아버릴 수 있다는 것을 알고 있었기 때문이다. 단 한 번 가을에 태풍이 몰아쳤을 때 달리기를 하지 않았다. 이런 날은 밖에 나가 운동하면 너무 위험하기 때문이었다. 그런 경우가 아니라면 항상 뛰었다. 여름이나 겨울이나 어떤 날씨에도 뛰러 나갔다. 뛰는 사람들은 땀으로 흠뻑 젖으니 비가 와도 상관없다. 겨울에도 제대로 복장만 갖추어 입으면 따뜻하다. 여름에는 이른 아침이나 저녁 시간 모두 달리기에 적당하다. 날씨가 달리기를 가로막는 핑계가 될 수 없다는 것을 기억해둬라!

모든 것은 완전히 성공해야 성공하는 것이다. 어중간한 것은 없다. 그것은 특히 달리기 초심자에게 적용된다. 왜냐하면 달리기를 처음 시작하는 사람은 자신이 성공했다는 것과 발전한다는 것을 계속해서 한 걸음 더 멀리 달리고 더 오랜 시간을 달리는 것을 통해 알 수 있기 때문이다. 100그램씩 몸무게를 줄여가면서, 그리고 몸을 더 잘 단련시켜가면서 달리는 거리가 점점 더 길어지게 되고 발걸음은 더욱 가벼워져간다. 거칠게 내쉬던 숨소리가 사라지고 의원빌딩 옆에 있는 작은 언덕을 힘겹게 오르던 무릎이 계속되는 운동으로 강화되면서 나는 이미 연방의회 건물보다 더 멀리 달릴 수 있게 되었다.

나는 항상 라인 강변을 따라 더 멀리 달려 나갔다. 나무 하나라도 조그마한 숲 하나라도 또는 강가에 표시된 거리표지 하나라도 더 멀리 달리는 것이 나의 새로운 목표였다. 나는 매일같이 멀리 보이는 새로운 목표를 눈여겨보아두었다. 본의 남쪽 다리. 그 당시 감히 도전할 수 없는 거리로 보였다 하더라도 내심 목표로 삼았다. 그 다리는 내가 달리기를 하면서 세운 첫 번째 커다란 목표였다. 그곳까지는 왕복해서 약 3킬로미터 정도 되었다. 그 당시에 그런 거리가 나에게는 얼마나 긴 거리인지 아마 경험해본 사람들은 알 것이다. 1996년 11월말, 그렇게 멀리만 보이던 본의 남쪽 다리에 처음으로 도달하였다. 약 25분 걸렸다. 얼마나 감격스럽고 자랑스러운지 그 느낌을 아무도 모를 것이다.

그 당시 그렇게 원했던 급격한 체중 감소는 육체적뿐 아니라 정신적인 대단한 노력을 의미했고, 이러한 노력은 행복감을 불러일으키기보다는 상당 기간 동안 그 반대의 느낌을 갖게 만들었다. 내 기분은 항상 불쾌하고 공격적이고 조바심 난 상태였다. 나의 얼굴은 낙천적인 모습과는 완전히 다른 모습으로 우울하고 움푹 패이고 아픈 것처럼 보여졌다. 대가가 없는 것은 없었다. 배고픔에 아주 익숙해졌음에도 항상 나는 배고픔에 고통을 느꼈다. 내 기분이 나쁘고 공격적이 된 데에는 배고픔으로 인한 것도 상당 부분 있었다. 항상 즐거워했던 뚱뚱한 시절, 항상 너그러웠던 뚱보 시절이 지나가버린 것이다. 내 스스로에게 요구한 금욕적인 생활은 혹독한 심리적인 대가를 요구했다.

나는 다달이 육체적으로 계속 좋아졌고 외모도 보기에 좋아졌다. 그렇지만 정신적으로는 좋지 못했다. 그것은 나에게 스스로 강요한 요구였기 때문에 그다지 놀라지 않았다. 육체를 개조하는 시간이 쉽거나 기분 좋게 진행되지는 않을 것이라는 점을 나는 처음부터 잘 알고 있었다. 그래서 나는 육체를 개조하는 데 많은 노력과 시간이 필요하리라는 것을 각오하고 있었다. 개인적인 영역에서 유쾌하지 못한 사람이 되고 있다는 것을 뻔히 알고 있으면서도 나는 내 자신을 찾기 위해 계속해서 노력했다. 이렇게 나 자신을 찾기 위해 노력하면 할수록 더 금욕적인 생활을 하게 되었다. 왜냐하면 나는 나의 하루 생활 전과정을 점점 더 나에게 집중시켰기 때문이다. 그리고 그것이 좋았다. 이런 과감한 시도에서 제일 중요한 것은 나 자신이었기 때문이다.

1996년 11월 나에게 또 다른 변화의 계기가 있었다. 그 당시 나는 며칠 동안 토스카나에 있는 친구 집에 묵게 되었다. 그곳에서 나는 거의 완전히 혼자 있을 수 있었다. 어느 날 나는 그 친구 집에서 음악을 듣기 위해 CD를 찾아 헤매야만 했다. 그 집에는 클래식 음악만 있었기 때문이다. 레퀴엠, 현악합주곡, 피아노협주곡, 칸타타 등. 사실 나는 그 당시까지 달리기와 마찬가지로 클래식에도 별 관심이 없었다. 아니 전혀 흥미가 없었다고 말하는 것이 옳다.

나는 초등학생 때 마을의 음악 클럽에서 호른 부는 것을 배우려고 한 적이 있다. 그러나 연습 시간에 내는 소리는 거의 소음이었다. 집 식구들이나 이웃들에게 항의를 받고 그만두게 되었다. 쓰디쓴 비난과 때릴 것 같은 위협에 굴복하여 호르니스트로서의 나의 음악적 시도는 좌절을 겪은 것이다. 오페라에 대한 나의 시도도 성공을 거두지 못했다. 1960년대 중반 사진 수업을 받는 동안에 나는 슈투트가르트의 큰 극장에서 있었던 베르디의 〈아이다〉 공연 티켓을 선물 받은 적이 있다. 나는 오페라라는 것은 고통스러우리만치 지루한 것이라 느꼈다. 나는 자는 것도 아니고 깨어 있는 것도 아닌 상태로 졸았다. 그러다 피튀기는 마지막 장면에서 다시 깨어나게 되었다.

이런 피곤한 경험 때문에 다른 진지한 음악과 마찬가지로 오페라도 나하고는 잘 안 어울린다는 확실한 결론을 내리게 되었다. 그런데 그때 비오는 가을 오후에 모짜르트의 〈현악 4중주〉를 듣고 있는 것이었다. 내 스스로 놀랐다. 그 후 여러 곡을 들었다. 음악이 너무 가볍고 아름다웠다. 술에 취한 것도 아닌데 음악에 빠져들었다. 음악은 계속 진행되면서 도저히 예측할 수 없는 시점에 나에게 충격을 주었다. 그리고 그 감동은 지금도 남아 있다.

달리기와 오페라 특히 모짜르트는 토스카나 크레테 지방의 작은 언덕에 있는 친구 집에서 보낸 그 우울한 11월 이후 나에게 완전히 새로운 경험이었다.

결과적으로 보면 이 두 가지는 서로 밀접히 연관되어 있었다. 그 당시 친구집은 정확히 시에나의 남쪽에 있는 언덕에 있었다. 이 가파른 언덕에서 나는 러너로서의 첫 시도를 했다고 할 수 있다. 물론 이 첫 번째 시도는 결단성 없는 것이었다. 나는 그 동네에 많은 언덕을 내가 뛸 수 있을 것이라고 생각하지 못했기 때문이다.

대부분의 사람들은 어떤 특정한, 자기 자신도 의식하지 못하는 프로그램에 따라 하루를 살아간다. 그 프로그램은 상황마다 표현되는 개인의 인격적 특성과 자신이 살아온 삶의 우연과 주어진 환경이 결합되어 만들어지는 것이다. 이러한 프로그램은 또한 의식적인 결정의 결과가 아니라 대부분 개인과 집단을 둘러싼 생활 환경에서 나타나는 많은 우연의 결과다. 우리는 모든 행동에서 매일같이 이런 프로그램을 따르게 된다. 어떤 변화된 생활 환경에서는 부분적으로 그것을 변화시킬 수 있다.

또한 전체를 역동적으로 변화시킬 수도 있다. 그러나 결국에는 우리가 의식적으로 인지하지 못한 채 우리 개개인들의 성향과 기호, 기회, 희망과 강제로부터 프로그램은 만들어지는 것이다. 이런 자동적인 일상의 프로그램에 의문을 던지거나 완전히 변화시키거나 뒤엎기 위해서는 이혼, 질병, 큰 손실 등 개인적으로 심각한 위기를 맞아 의식적으로 이루어지는 결정이 필요하다. 또는 신뢰할 만하고 과학적인 이유와 같은 피할 수 없는 이유 때문에 이루어질 수도 있다.

물론 제3의 가능성도 있다. 그것은 이 길을 먼저 가 성공을 거둔 모범을 따라하는 것이다. 그렇지만 이 경우에도 내적인 준비가 전제되어 있어야 한다. 나는 그 동안 이런 방식으로 위기에서 탈출하는 데 성공한 내 친구들 몇 명을 보았다. 이들은 그가 해냈기에 나도 할 수 있다라는 식으로 체중 감량과 달리기를 통해 성공적으로 자신을 변화시켰다. 또 경험적으로 보면 완전히 다른 경우도 있다.

하여간 비만과 체중 감량에 대해서 이야기하려고 한다면 우리는 기존의 자기 프로그램과 이를 올바르게 다시 프로그램화하려는 의식적인 변화에 관심을 가져야만 한다. 이 경우 계획을 갖고 의식적으로 다시 프로그램화하는 것이 결정적인 역할을 한다. 왜냐하면 개인적으로 위기를 겪는다고 해서 반드시 체중을 줄이고 자신을 변화시키는 결과를 가져올 수 있는 것은 아니기 때문이다. 여기에는 상당히 광범위하고 계획되고 의지가 담긴 결정이 요구된다.

이 책에 실려 있는 내 개인의 모든 변화는 문제의 핵심과 해결책을 암시해줄 수 있을 것이다. 그것은 나 자신의 생활 프로그램을 완전히 변화시키는 것이다. 한참 지난 후에야 알게 된 사실이지만 실제로 나는 1996년 8월 내 인생에 있어 잠깐의 휴식 시간 이후 몇 주 몇 달 사이에 내 자신과 나의 일상 생활을 완전히 새롭게 프로그램화했다. 그 기간에 나는 계획을 세울 필요를 느껴 자발적으로 완전히 다르고 아주 새로운 나만의 프로그램을 적기 시작했다. 내가 체중을 줄이고 삶의 형태를 바꾸는 데 성공한 진짜 비결은 거기에 있었다. 이전에 다이어트나 단식요법 등으로 많은 살빼기 시도를 했음에도 항상 실패할 수밖에 없었다. 그것은 내가 나의 오래된 생활 습관 내에 아무런 생각없이 머물러 있었기 때문이다.

나는 매년 살이 쪄 나타나는 정신적 · 육체적 비정상 상태의 원인을 건드리지 않고 증상만을 치료하기 위해 고생했던 것이다. 그 때문에 모든 단식요법이 다 고통스러웠다. 근본적으로 나의 생활 프로그램을 바꾸지 않고 나는 배불리 먹는 시스템 속에 계속 발을 담그고 있으면서 단지 그것의 군살만 더 안 생기게 하려고 했기 때문이다. 그러니 당연히 실패할 수밖에 없었다. 나는 솔직히 뚱뚱해질 수밖에 없었던 나의 뿌리 깊은 프로그램을 변화시킬 용기와 추진력을 가지고 있지 못했다. 왜냐하면 나의 생활 습관을 바꾼다는 것은 내가 가장 좋아하는 하루 일과인 양고기를 먹고 포도주를 마시면서 스트레스를 푸는 것을 포기하는 것이고, 나의 전체 생활 태도를 혼란스럽게 만드는 것이었기 때문이다.

이러한 나의 생각은 이미 언급했듯이 어느 정도 시간이 흐른 후에 많은 토론을 거치면서 옳은 것으로 판명되었다. 나는 그때서야 내가 나에게 저지르려고 생각했던 일이 무엇인가를 분명히 알게 되었다.

나의 육체가 변화되는 것을 분명하게 느끼고 확인할 수 있었다. 나는 매일 거울을 보았다. 내가 외적으로 얼마나 많이 변화되었는가를 보며 내적으로 수행하고 있는 변혁을 어느 정도 수행했는가를 알아보는 것이었다. 내적인 변화를 눈으로 확인하는 방법은 그 수밖에 없었다. 달리기, 식사, 음악, 완전히 다른 일상생활, 근본적으로 다른 생활의 우선 순위.

나는 오랫동안 이러한 변화에 대해 제대로 된 설명을 할 수 없었다. 그것을 제대로 표현하기에는 많은 것들이 너무나 특별하게 여겨졌다. 만약 어떤 사람이 지금까지 너무나 당연한 것이라 생각해왔고 바꿀 수 없다고 확신하고 있던 자신의 개성과 습관을 완전히 변화시키기 위해 재프로그래밍하려고 노력한다면, 갑자기 그 모든 개성과 습관들이 현재 내 모습을 만드는 데 어떤 역할을 하고 있는지 알게 되고 내 모습이 결코 우연이 아니라는 것을 알게 된다. 먹는 습관, 그렇게 좋아하는 포도주, 특별한 생활의 흐름, 음악적 취향, 이 모든 것들이 근본적으로 나의 개성을 표현하는 형식이었다.

또 그것은 나의 일상적인 생활 방식이면서 근본적인 변화를 가로막는 내 생활의 프로그램이다. 프로그램을 지속적으로 변화시키면서 모든 생활에서 내 개성의 일상적인 표현 형식을 반드시 변화시켜야만 한다. 이러한 것들이 분명히 성과가 있었다. 지금까지 약 일년 동안 몸무게를 35킬로그램 줄인 것으로 보아 최소한 이러한 방법이 확실한 것이라고 말할 수 있을 것이다.

비만이 어떤 병으로 인해 생긴 것이 아니라면, 그것은 과도한 욕망의 외형적 결과이자 저울로 표현되는 결과다. 욕망을 아주 다양하게 표현하는 것은 원래 인간의 속성이자 인간의 충동 구조에 포함되어 있는 것이다. 왜냐하면 욕망을 표현하는 행동은 어느 정도 통제를 벗어나 인간의 기본적인 생존 욕구를 외적으로 나타내는 것이기 때문이다. 인간의 충동 구조만이 자아를 일시적으로 또는 지속적으로 무기력하게 만드는 힘을 가지고 있다. 즉 충동만이 자아를 누르는 힘을 가지고 있다. 그래서 욕구지향적 행동이 나오는 것이다.

자아가 너무 약하다거나 자기 자신과 자신을 둘러싼 환경과의 관계에서 자아의 내적인 조화가 심각하게 방해받게 되었을 때 자신의 충동 구조 중 한 부분이 발현하여 충동 구조가 자아를 완전히 지배하게 된다. 그리하여 자아가 충동 구조에 종속되는 사태가 벌어지는 것이다. 최소한 먹고 마시는 것에서는 이렇게 되기 쉽다. 또한 이런 설명은 인간의 욕구지향적 행동에 대해서 보편적으로 적용될 수 있다. 자아를 통해 우리의 기본적인 충동 행위를 통제하는 것은 육체에서 이루어지는 것이 아니라 머리에서 이루어지는 것이다. 다시 말하면 통제력을 잃어버리고 욕구충족적 행동을 하는 것은 육체적 문제가 아니라 심리적인 문제라는 것이다. 육체는 오히려 욕구충족적 행동으로 인해 매우 고통스런 상황에 빠지게 된다.

이성적으로 조절되던 통제 메커니즘을 잃어버리면 일상생활이 변화된 조건에서 이루어진다. 또 자아의 내적 조화가 심각하게 방해받기도 한다. 이렇게 하여 당황하게 되면 사람들은 자기 자신에게 이롭지 못한 행동을 하게 된다. 최악의 경우에는 자신을 완전히 파괴할 수도 있는 행동을 유도하는 내적 충동에 굴복하게 된다. 욕구충족적 행동으로 인해 잃어버린 내적 균형은, 인격의 상처받은 깊은 부분을 치료하거나 그 수준을 넘어서 지금까지의 행동에서 우선 순위를 변화시킴으로써 다시 찾을 수 있다. 즉 자신의 행동을 원래의 자아와 어울리게 다시 맞추는 것이다.

본질적으로 같은 충동 행위나 욕구충족적 행동이라 하더라도 어떤 상황에서는 아주 큰 차이를 보일 때가 있다. 나는 과거에는 엄청난 뱃살 때문에 하루에도 여러 번 고통을 느꼈다. 그러나 나는 요즘 넘치는 충동 에너지를 달리기와 육체의 건강을 위한 것으로 바꿨다. 이 경우 육체에 해를 미치는 욕구충족적 행동을 하는 것과 넘치는 물리적 에너지를 육체에 이롭게 쓰는 것에는 질적인 차이가 존재한다는 것이 중요하다. 달리기는 우리가 생물이기에 하는 행동이지 결코 욕구가 아니다! 전자는 자기에게 해를 미치거나 어쩌면 자기파괴에 이르는 것으로 끝이 날 수 있다. 그러나 후자는 육체에 이롭고 건강해지고 자신의 가치를 느끼는 데 긍정적으로 작용한다. 내가 취할 수 있는 최종 선택은 이제 분명해졌다. 그리고 나서 한 걸음 한 걸음 현실로 옮기기 시작했다.

나의 내적인 생활 리듬을 바꾸겠다고 목표를 분명히 세우고 나서야 비로소 나는 급속하면서도 지속적으로 살을 빼는 데 성공했다. 그 이전에 수없이 시도한 살빼기는 항상 고통스럽게 실패로 끝났지만 이젠 성공한 것이다. 생활 습관을 완전히 변화시키는 것만이 살빼기에 성공할 수 있고 계속 유지할 수 있는 기본 조건이다. 디지털 세계의 개념으로 번역하여 말한다면 내 성공의 실제적인 비밀은 완전한 변환에 있고, 나라는 사람의 프로그램 디스켓을 완전히 새롭게 썼다는 것이다. 나의 전체적인 생활 방식, 하루 일과 전체, 먹는 것, 기호, 습관 등을 목표를 분명히 세워 포괄적으로 변화시키지 않았다면 나의 살빼기 작전은 그 이전에 계속 실패로 끝났던 것처럼 또 좌절을 겪었을 것이다. 새롭게 프로그래밍함으로써 이전까지 불가능하게 여겨졌던 일들이 가능하게 되었다.

갑자기 매일 나 자신만을 위한 시간이 생겨났다. 항상 해야 할 일과 나의 업무 효율성 때문에 스트레스를 받았는데 이제는 꼭 해야 하는 내 일들이 나의 새로운 생활 리듬 속에 너무나 잘 통합되었다. 실제로 나는 거의 항상 달리기를 할 수 있는 시간을 낼 수 있었으며 나 자신에 대해 생각할 수 있는 시간을 가질 수 있었다. 그것은 내 생활의 우선 순위 특히 시간의 우선 순위를 내 새로운 프로그램에 따라 완전히 바꾸었기 때문이다.

그렇게 많던 모든 핑계들이 힘을 못쓰게 되었다. 또 과거에 살빼기에 실패하고 나면 바로 찾아오는 그 지긋지긋한 요요 효과도 없었다. 요요 효과 메커니즘이 새로운 프로그램으로 인해 작동하지 못하기 때문이었다. 살빼기에 실패하고 다시 폭음과 과식을 하는 지긋지긋한 사이클이 전혀 나타나지 않았다. 나는 이제 더 이상 옛날의 시스템에 사로잡혀 있지 않다. 오히려 개인적인 위기감을 심각하게 느끼며 시스템의 변화를 계속 시행하고 있다. 그것의 긍정적인 효과는 육체적으로 정신적으로 점점 더 많이 나타나고 있다.

달리기는 자기 개혁의 촉매제라고 말할 수 있고, 짧은 시간에 내가 새롭게 열정을 쏟는 대상이 되었다. 나와 같은 극단주의자의 경우에는 짧은 시간에 어떤 한 가지 일에 빠지는 경우가 많다. 장거리 달리기의 매력—여러 가지가 있을 수 있겠으나 빌리 퀼러가 말하듯 정신적인 상태의 균형과 발걸음의 균형이 일치한다는 것도 그 하나일 것이다—에 빠져 나는 오래된 나의 성격상의 특징을 계속 긍정적인 방향으로 바꾸어 나가게 되었다. 진탕 마시고 엄청나게 먹던 나의 급한 성격을 운동할 때마다 매번 거리를 늘려가는 쪽으로 활용하였다. 알란 실리토에가 쓴 『장거리 주자의 고독』은 나에게 치료제와 같은 역할을 하였다고 할 수 있다.

나는 그 책을 읽은 이후로 계속 달리고 있고 점점 더 달리기에 재미를 느끼고 있다. 그래 내가 쓰고 싶은 것이 바로 이것이다. 달리면 즐겁다는 것이다!

달리고 또 달리고 계속 달린다

이제 달리기는 힘을 소진하게 하는 육체적 고통이 아니었다. 달리기를 하는 동안 내 몸의 어느 구석에서도 고통을 받을 필요가 없었다. 내 몸 상태는 점점 더 좋아졌고 거리는 계속해서 늘어갔다. 발걸음의 단조로운 리듬을 타면서 진짜 놀랍게도 머릿속에서 자신의 존재 자체를 잊어버리는 무아지경의 상태에 빠지게 된다. 그래서 나는 다음에는 얼마나 더 먼 거리를 뛸 수 있을지 가슴이 두근거릴 정도로 날이 밝기를 기다렸다.

오늘도 또 그렇고 그런 날이 계속된다. 아침 8시부터 밤늦게까지 여러 일정에 쫓긴다. 국빈을 맞고 각종 회의를 하고, 내각회의, 사무실에서의 잡다한 협의, 인터뷰, 그리고 마지막에는 조그만 방에서 연방총리와 만나 의논하는 일 등 밤 10시 반쯤이 되어서야 겨우 하루 일과가 끝난다. 이 시간이면 다른 사람들은 포도주를 마시며 이야기를 나누지만 나는 무조건 밖으로 나간다. 거의 자정 무렵에 본의 거리를 1시간 가량 뛰기 위해 나서는 것이다. 이 시간에 대체 왜 뛰냐고 물으면 나는 사실 그대로 대답한다. 나는 지금 뛰고 싶을 뿐이라고. 그리고 내가 이런 대답을 하면 다른 사람들이 나를 완전히 이상한 놈이라고 생각하거나 최소한 위험하게 행동하는 달리기 광신자로 생각하고 있다는 것을 느낄 수 있다. 그래, 그 생각이 맞다. 제대로 된 이성을 가진 사람이라면 이 시간에 누가 뛸 것이며 그렇게 힘든 일과를 마친 후에 뛸 생각을 하겠는가? 그러나 힘든 일과를 마친 후 나는 긴장을 풀고 싶고 뭔가를 즐기고 싶다. 그리고 지금은 맛좋은 포도주를 마시는 것보다도 본과 고데스베르크 사이에 있는 라인 강변을 밤늦은 시간이라도 10킬로미터 정도 뛰고 싶을 뿐이다.

나는 오래 전부터 잠을 많이 자지 못했다. 독일 외무장관으로서 하루에 해야 할 일이 너무 많기 때문이다. 오늘도 이미 몇 시간 전부터 계속 기진맥진한 상태이고, 머리는 멍하며, 몸은 지칠 대로 지쳐 있고, 마치 김빠진 맥주처럼 몸이 너무 피곤하다. 아마 모든 사람들이 마찬가지겠지만 지금 내게 필요한 것은 휴식이다. 몸과 정신을 위한 휴식이 필요하다. 예전에는 술집을 가거나 단지 잠자는 것을 휴식이라고 생각했다. 그러나 이제는 자정이 다 되었더라도 거리로 뛰어나가는 것을 휴식이라고 생각한다. 약 1시간 정도 10킬로미터를 뛰고 나서 땀에 젖어 집으로 돌아오면 나는 새로 태어난 듯한 느낌을 받는다. 복잡하게 얽혀 있던 생각과 피곤함이 완전히 사라진다. 골치아픈 이런저런 정치적인 문제가 머릿속에서 사라지고 새로운 생각이 떠오른다. 달리는 중에 때때로 머릿속에 놀라운 생각들이 떠오르기도 한다.

이런 이야기를 듣고 믿는 것보다 한번 경험해보면 내 말을 이해할 수 있을 것이다. 사람들은 1시간 정도 달리고 나면 지칠 대로 지칠 것이라고 생각하지만 실제로는 그 반대로 좋은 휴식이 될 수 있다. 최소한 나도 이런 것을 경험하기 전에는 다른 사람들과 똑같이 생각했다. 달리기는 사실 힘든 일이다. 아니 엄밀히 말하면 몸 전체를 긴장시키는 일이다. 몸 속의 모든 내장기관들이 활발히 움직이게 되고 산소를 가장 말단의 모세혈관까지 보내주기 위해 허파와 심장은 더욱 심하게 활동을 하게 된다. 그럴 때

머리는 명상을 할 수 있는 평정 상태에 놓이게 된다. 바로 이때 창조적인 아이디어와 생각들이 마치 스스로 기어나오듯 연속적으로 떠오른다. 물론 리듬감 있게 운동하려면 조금 시간이 걸릴 것이다. 또한 이렇게 되려면 규칙적인 훈련을 통해 어느 정도 몸이 준비되어 있어야 한다.

이미 말한 것처럼 이러한 효과를 맛보려면 한번은 스스로 경험해야만 한다. 그러고 나면 더 이상 달리는 사람을 부러워만 하고 있지는 않을 것이다. 한번 나와 같은 경험을 하고 나면 나처럼 달리기에 대한 욕구가 생길 것이다. 그렇게 되면 자신의 욕구충족적 행동을 다른 것이 아닌 달리기로 대신할 수 있지 않을까? 게다가 달리기를 하면 소위 엔도르핀-킥이 생기게 된다. 그것은 행복호르몬 또는 생체아편이라고 불리는 엔도르핀이 몸에 지속적으로 공급되어 항상 체내에 있는 상태를 말한다. 이 호르몬은 우리 몸이 장거리 달리기와 같은 지속적인 부담을 더 잘 참아내도록 만들어준다. 물론 내 개인적인 경험을 가지고 엔도르핀의 분비나 러너스 하이(달리기를 일정 시간 지속할 때 일시적으로 생기는 무아지경과 같은 상태 : 옮긴이) 그리고 다른 기분 좋은 상태를 만들어주는 모든 것을 과대평가하는 것일 수도 있다.

장거리 달리기의 경우 일정 시간 달린 후 실제로 기분 좋은 상태를 느낄 수 있다. 물론 충분한 훈련이 되어 있다는 전제가 필요하다. 이런 기분 좋은 상태는 달리기를 마친 후에도 몇 시간 정도 지속된다. 내가 관찰한 바로는 이런 기분 좋은 상태를 유지하는 데는 많은 물리적 · 심리적 요소들이 역할을 한다. 달리기를 하면 모든 말단세포에까지 산소를 보내주는 일종의 생체 기관을 위한 산소목욕을 하게 된다. 모든 근육이 활발히 움직이고 호르몬이 잘 생성되도록 하면 육체 자체의 행복호르몬 분비를 도와준다. 또 달리기를 하는 시간이 어느 정도 흐르면 명상의 상태에 이르러 내적인 긴장이 믿을 수 없을 정도로 완화된다.

달리기 자체를 넓은 의미의 욕구충족적 행동이라고 규정한 내 생각이 틀리지 않다면 이제 남은 것은 매일매일의 결정뿐이다. 내가 오늘 달리기를 할 것인가 안 할 것인가라는 결정만이 남는다. 내 경험으로 보면 예전에는 달리기를 해야 한다는 강박관념이 먹는 것에 대한 강박관념보다는 못했다. 그때까지만 해도 매일 달리기를 할까 말까 결정해야 하는 상태에 있었고 달리기를 하기 위해서는 많은 자제를 필요로 했다. 그러나 지금은 이틀 정도 달리기를 못하면 마음이 불안해지는 상태로까지 발전하였다. 내 자신이 편하지 못한 상태를 느끼기 시작한 것이다. 왜냐하면 내 몸은 엔도르핀 공급을 요구하고 있고 달리기를 할 때 느껴지는 명상을 통해 긴장을 완화시키지 못하기 때문이다. 그러나 이미 말한 것처럼 이런 욕구충족적 행동은 다른 유사한 행동과 완전히 다른 것이다.

나는 원래 나의 개조 프로그램을 계획할 때 달리기를 스포츠센터에서 하는 웨이트 트레이닝의 보조운동으로 생각하고 있었다. 그러나 3개월도 안 되어서 달리기는 보조운동에서 가장 중요한 운동으로 바뀌었다. 그것은 전혀 계획된 것이 아니었다. 나는 11월에 본의 남쪽 다리에 도달하게 되었다. 나는 천천히 앞으로의 생활을 생각해보았다. 내가 달리기를 계속하기에는 주변 상황이 어려웠다. 물론 달리기를 처음 시작했을 때의 어려움보다는 못했지만. 그때까지도 웨이트 트레이닝이 여전히 트레이닝의 우선 순위를 차지하고 있었다. 나는 계획대로 끝까지 해내겠다는 목표를 가지고 있었다.

그러나 나는 그 당시 원래 나의 목표점과 점점 멀어져간다는 불안을 느끼고 있었다. 내 목표와는 달리 달리기가 주요 운동으로 되기 시작해 원래 계획대로 밀고 나갈 자신감이 없었기 때문이다. 그렇지만 나는 계속해서 더 멀리 달렸다. 남쪽 다리가 이제는 내 등뒤에 있게 되었다. 마침내 나는 바트 고데스베르크의 한 구역인 플리터스도르프의 외곽을 내 새로운 목표로 세웠다. 그곳은 본에서 보면 라인 강 상류에 있는 곳이다. 나는 그 당시 나의 상황에서는 엄청난 노력이 필요한 이 새로운 목표를 1997년 부활절에 정복하기로 하였다.

그러나 정치는 어쩔 수 없는 나의 운명인가 보다. 나는 이런 대담한 운동 계획을 세우면서 당시 세제 개혁과 연방 재무장관인 테오 바이겔을 제대로 염두에 두지 못했다. 나의 달리기 발전 과정을 이야기하다가 갑자기 연방 재무장관과 그의 세제 개혁을 이야기하니 어리둥절할 것이다. 하지만 이것들은 사실 아주 밀접한 관계가 있다.

1997년 1월말경의 어느 흐린 날 아침이었다. 그때는 보수-자유주의 연립정권이 베를린 근교의 페터스부르크에서 바로 앞으로 다가온 세제 개혁을 결정할 무렵이었다. 연방 재무장관의 기자회견에서 연립정권이 복잡한 세제 개혁 문제를 마치 콜럼부스가 달걀을 세운 것처럼 생각의 전환을 통해 해결한 것처럼 보였다. 왜냐하면 이전엔 해결 불가능한 것처럼 보였던 모순들이 갑자기 무슨 마술의 손이 닿은 듯 간단히 풀린 것처럼 보였기 때문이다. 조세수입은 줄어들고 실업자와 통일비용은 늘어나 모든 면에서 예산이 부족하고 다가올 유로화 가입으로 인해 공적인 재정에서 저축을 줄여야 하는 상황을 붙잡고 전문가들이 수개월간 헤맸으나 풀지 못한 문제들을 갑자기 해결한 것처럼 보인 것이다. 그리고 우리 당의 전문가들조차도 깊이 감명을 받았다.

하지만 나는 속으로 격분해 있었다. 이 세상에 기적이란 없기에 세금을 내려서 세수를 늘린다는 이런 기적과 같은 일은 믿을 수 없었다. 나는 처음부터 이 모든 계산을 사기라고 생각했다. 예산이 여기저기서 부족하고 독일의 예산이 유로화의 표준이 되었기에 국가 순채무를 늘릴 수 없는 상황에서, 국가 재정이 만성적으로 적자를 내지 않고 재무장관이 세금을 내린 만큼 어떻게 재정을 마련할 수 있는지 나는 아무리 해도 이해가 되질 않았다. 언젠가는 부가가치세를 올려야만 할 것이라고 생각했다.

실제로 오랜 시간 동안의 내부 논쟁을 마친 후 저녁에 세제 개혁은 결국 세금을 올림으로써 재정을 마련할 수 있다는 것이 분명해졌다. 자신만만하던 세제 개혁 주도자들은 몇 시간 동안 모든 것에 대해 침묵을 지켰다. 다음 날 아침 다시 라인 강변으로 뛰러 나갔을 때에도 나는 그 사기극으로 인해 정말 미칠 정도로 화가 나 있었다. 그리고 머릿속으로는 이미 그 세금 사기에 반대하는 연설문을 쓰고 있었다. 그러면서 아무런 생각 없이 남쪽 다리를 지나쳐버렸다. 남쪽 다리를 지나쳤다는 사실도 몰랐다. 그리고는 계속 달린 것이다.

1997년초 나의 달리기는 멈추지 않고 계속되었다.

그렇게 하여 라인 강 양수장에 이르게 되었다. 그런데 그것도 지나쳐 계속 달렸다. 내 머릿속은 여전히 분노로 가득 차 있었다. 마침내 나는 테니스 코트에 도착했다. 플리터스도르프의 외곽에 도달한 것이었다. 약 3.5킬로미터 정도 되는 거리였다. 나는 깜짝 놀랐다. 내가 여기서 다시 돌아갈 수 있을 것인가? 그리고 하루하루 더 먼 거리를 달리겠다는 이전에 정한 원칙에 따라 나는 내일부터 매일 이 거리를 왔다가 돌아가야만 하는 것이다. 이런 미친 짓을! 앞으로 올 날이 깜깜하였다. 그러나 돌아갈 수 있었다. 그리고 나는 내가 이렇게 먼 거리를 달릴 수 있다는 것에 무한한 자부심을 가질 수 있었다. 플리터스도르프에 원래 예정했던 기간보다 두 달이나 일찍 도달했기 때문이다. 테오, 고마워요! 그리고 나서 나는 거의 매일 7킬로미터를 뛰게 되었다.

1997년 2월(그래, 2월이 맞다), 플리터스도르프의 나룻터까지 왕복 10킬로미터(앞으로 거리 표시는 항상 왕복 거리)를 뛰게 되었다. 그리고 이미 12킬로미터 거리인 라인 강변의 하얀 드레센 호텔 건물을 멀리서부터 새 목표로 찍어놓고 있었다. 나의 달리기는 멈추지 않고 계속되었다. 그러자 내 몸무게는 계속해서 줄어들었다. 두 가지 성공 곡선이 함께 그려졌다. 달리는 거리는 계속 늘어갔고 몸무게는 계속 줄어들었다. 이것은 내가 나의 행동

계획을 계속 밀고 나가는 데 강력한 추진력을 더해주었다. 나는 더욱 분발하게 되었다.

내 몸무게는 일주일마다 새로운 감량 기록을 세웠다. 몸무게가 85킬로그램 이하로 떨어졌다. 몸무게 80킬로그램이라는 목표치에 거의 근접한 것이다. 나는 80킬로그램에서 몸무게 감량을 중지할 생각이 없었다. 그래서 나는 새로운 목표치를 세워야만 했다. 나는 내가 또 새로운 목표에 도달할 수 있을지 알고 싶었다. 나는 75킬로그램에도 도달할 수 있을 것 같았다. 75킬로그램이라니! 그것은 내가 한창 잘 나가던 때의 몸무게다. 내가 처음으로 연방의회에 진출하게 되면서 평범한 일상에서 아무런 거리낌없이 아무거나 선택할 수 있었던 자유스런 삶이 끝난 1983년 당시의 몸무게다. 그런데 이제 갑자기 75라는 이 숫자가 다시 내가 도달할 수 있는 범위에 들어온 것이다. 그리고 그 숫자는 더 이상 특정한 과거 한때에 대한 슬픈 회상이 아니었다. 내 자신이 그것을 믿을 수 없었다.

1997년 2월과 3월 사이에 나는 나의 달리기 생활의 어려운 장애물 하나를 극복했다. 그것을 여기서 언급하고 넘어가야겠다. 고통의 단계가 끝난 것이다. 이제 달리기는 몇 개월 전처럼 힘을 소진하게 하는 육체적 고통이 아니었다. 이제 나는 달리기를 즐기기에 충분한 기본 조건을 갖추게 된 것이었다. 그래서 달리기를 하는 동안 내 몸의 어느 구석에서도 고통을 받을 필요가 없었다. 오히려 장거리 달리기라는 다른 차원을 열어젖힐 수 있게 되었다. 내 몸 상태는 점점 더 좋아졌고 거리는 계속해서 늘어갔다.

그와 함께 소위 엔도르핀-킥 또는 터널효과라고 하는 것을 느낄 수 있게 되었다. 약 7킬로미터를 달리면 그 이후에는 엔도르핀의 분비가 감지된다. 동시에 발걸음의 단조로운 리듬을 타면서 진짜 놀랍게도 머릿속에서 자신의 존재 자체를 잊어버리는 무아지경의 상태에 빠지게 된다. 나는 달리기 경험을 통해 이런 것을 느끼는 것에 더 흥미를 느끼게 되었다. 그래서 나는 다음에는 얼마나 더 먼 거리를 뛸 수 있을지 가슴이 두근거릴 정도로 날이 밝기를 기다렸다.

봄이 되자 나는 스포츠 센터에서의 운동보다는 달리기에만 완전히 집중하게 되었다. 앞에서 말한 바와 같은 이유로 나는 달리기의 매력에 푹 빠진 마니아가 되기 시작했고 점점 더 거리 늘리기에 관심을 갖기 시작했다. 체중은 계속 줄었다. 나는 매일 아침 저울에 올라가서 가장 최근의 결과를 정확히 확인했다. 변화는 계속 일어났다.

나는 이른 아침에 달리는 것을 포기했다. 이른 아침 1시간을 완전히 달리기에만 쏟기에는 시간이 부족했고 바이오 리듬으로도 점점 더 어려워졌기 때문이다. 내가 게으른 사람이라면 아침에 일찍 깨지 못했을 것이다. 그러나 육체의 시계는 알고 있었다. 이른 아침에 1시간 이상 그런 과도한 운동을 하기에는 몸이 따라주지 못했다. 그래서 나는 달리기를 오후 늦게나 저녁에 하기로 바꾸었다. 요즘은 종종 밤늦게 뛰는 경우도 있다. 오후나 저녁에 뛰고 나서 나는 편안함을 느낄 수 있었다. 이젠 늦은 시간에 운동하는 것이 일상화되었다. 그것은 내 생활 태도에서 보이는 극단적인 경향과 잘 맞았다. 나는 새로운 흥분을 느끼게 되었다. 달리기는 이제 완전히 나를 사로잡는 열정이 되었다. 그래, 그 말이 맞다. 달리기는 점점 더 규칙적인 강박관념과 비슷한 것이 되었다.

라인 강을 따라 뛰는 거리를 늘리는 기간이 상당히 짧아졌다. 나는 몇 일에 한 번씩 뛰는 거리를 늘리고 있다. 왜냐하면 더 멀리 뛰는 데 성공하면 나는 점점 더 대담해져갔기 때문이다. 이런 과정에서 나는 달리기에 자신감을 가지게 되었다. 12킬로미터 거리가 되는 라인 강변의 드레센 호텔에 도달했다. 그리고 나서는 마침내 16킬로미터 지점인 멜렘 부두에 도달하게 되었다. 나는 그날을 분명히 기억하고 있다. 그날은 한스 디트리히 겐셔 전 외무장관의 70회 생일이었고 그가 소속된 당의 공식적인 축하 행사가 페터스베르크에서 있던 날이기 때문이다. 나는 겐셔 씨에게 이미 개인적으로 축하 인사를 보냈었다.

나는 이런 대규모 행사에 가고 싶지 않았다. 그러나 이런 형식적인 것을 별로 좋아하지는 않더라도 원내총무로서 형식적인 의무는 다해야 했다. 내가 가지 않는다고 나를 비판할 사람은 아무도 없을 것이다. 그렇지만 내가 그 자리에 가지 않은 것은 예의에 어긋나는 행동일지도 모르는 문제였다. 나는 연방의회가 열렸을 때 겐셔 씨에게 내가 그 자리에 가지 않아도 괜찮겠느냐고 직접 물어보기로 결심했다. 그리고 기대했던 대로 예전의 당당했던 연방 외무장관은 이성적인 대답을 해주었다. 그는 웃으면서 내 의무감의 무게를 벗겨주었다.

그래서 나는 정오가 다 된 시간에 16킬로미터 거리가 되는 멜렘 부두에 도달하게 된 것이다. 나는 그곳에서 라인 강 저 건너편 축하 모임이 열리고 있는 페터스베르크에 있는 사람들에게 무언의 인사를 보냈다. 달리기를 시작한 지 단 6개월 만에 지금까지 가장 먼 거리에 도달한 것이다.

왕복 16킬로미터를 뛰고 나서 나의 트레이닝에는 많은 변화가 생겼다. 왜냐하면 매번 뛸 때 거리를 줄이지 않겠다는 나의 원칙을 포기해야만 했기 때문이었다. 매일 16킬로미터를 뛰어야 하는 것은 우선 시간이 없을 뿐더러 너무 멀기도 했다. 그래서 나는 일주일에 5, 6일은 약 10킬로미터 정도만 뛰기로 결심했다. 하루이틀 정도는 회복 시간이 필요했기 때문이다. 달리기 위해서라도 회복 시간은 필요했다.

그리고 일주일에 한두 번 그보다 훨씬 더 먼 거리를 달리기로 했다. 주로 일요일에 장거리 달리기를 했다. 일요일에는 당 회의나 선거유세가 없어서 아무런 방해 없이 한두 시간 달리기를 할 수 있기 때문이다. 그러나 하루에 달리는 기본 거리는 10킬로미터를 유지했다. 그것은 지금까지 계속되고 있다. 요즘은 같은 10킬로미터를 뛰더라도 휴식을 위해 천천히 뛰기 때문에 1시간 이상이 필요하다. 그리고 템포러닝(처음과 끝은 천천히 뛰고 중간에는 빨리 뛰는 것 : 옮긴이)을 할 때는 대략 53분에서 56분이 필요하고, 지속주(같은 속도로 천천히 달리는 것 : 옮긴이)를 할 때는 1시간 정도 걸린다.

나의 달리기 성과와 내가 설정한 제한 시간 이전에 목표를 달성했다는 사실을 나는 상당히 자랑스럽게 여겼다. 그러나 성공이라고 하는 것은 동시에 한 단계를 종결짓는 것이다. 그럼 이제 무엇을 해야 하나? 이제 어떻게 앞으로 나아가나? 다음 목표는 무엇인가? 라인 강이 나에게 답을 주었다. 사실 나는 이런 의문을 갖기 전에 이미 라인 강의 안개 속에서 더 멀리 갈 다음 목표를 보았다. 이웃한 라인란트팔츠 주에 속해 있는 논넨베르트 섬이 그것이었다. 주 경계선까지! 나 스스로 놀랐다. 그러나 목표는 확실히 그것이었다. 눈앞에 보이는 저곳을 새로운 도달 목표로 세운 것이다.

그곳은 수도 본의 남쪽 경계선이었다. 나는 예전에 그곳을 도시계획에서 제외시킨 적이 있었다. 본의 경계선은 논넨베르트 섬의 북쪽 끝 고지까지 뻗쳐 있고, 그곳에서 동시에 노르트라인베스트팔렌 주와 라인란트팔츠 주의 경계를 이루고 있다. 왕복 약 22.5킬로미터의 거리가 나를 기다리고 있었다. 하프 마라톤 거리보다 긴 이 거리는 나 같은 달리기 초보자에게는 상당히 부담이 되는 것이다. 당시 나는 이 거리에 대해 일종의 경외심을 가지고 있었다.

본의 유명한 한 정치인이 달리기를 시작했고, 돼지 같던 모습에서 수척한 고행자와 같은 모습으로 변했다면 언뜻 보기에도 의문을 가질 만하다. 특히 기자들에게는 주목거리가 된다. 그리고 사진기자들이 관심을 갖게 되어 틀림없이 어떤 신문에 사진과 함께 1면 머릿기사로 나갈 것이다. 그렇게 되면 호평을 받을 수 있는 의미있는 기삿거리가 될 것이다. 이미 말한 바처럼 그렇기 때문에 나는 살빼기 위한 비밀스런 행동을 하지 않기로 하였다. 그리고 달리기를 하면서 살빼기와 첫 번째 도달 목표를 성공한 후 나는 바로 나의 타고난 허영심에 쐐기를 박기로 계획했다.

그렇더라도 내가 어떻게 나의 수도승 같은 달리기 생활을 숨길 수 있을까? 나 같은 공적인 인물이 눈에 띄게 보이는 외형적 변화를 숨길 방법은 없었다. 또 정치가는 미디어에 의해, 미디어와 함께, 미디어를 통해 생명을 이어가는 그런 존재다. 결국 아주 화창한 어느 날, 유명한 스포츠 잡지인 ≪함부르크 일러스트≫에서 나에게 연락이 왔다. 마라톤 경험이 있는 한 편집인이 나와 함께 달리고 싶고 건강 특집판을 위해 그것을 기사로 쓰겠다는 것이었다. 뭐, 안 될 것이 있겠냐고 바로 승낙해주었다. 그래서 우리는 1997년 부활절 전 주 수요일 오전 11시 정각에 만나기로 약속했다. 의회는 이미 부활절 휴가에 들어간 상태였기 때문에 업무는 별로 없었다. 따라서 나는 시간이 많이 있는 편이었고 특히 주 경계선까지 장거리 달리기를 할 여유도 있었다.

아주 날씨 좋은 봄날이었다. 아직 신선한 아침 공기와 안개가 가시지 않았다. 그렇지만 정오가 가까워지면서 안개는 라인 계곡에서 사라졌다. 하늘은 새파랬다. 태양이 비치자 추운 기운이 사라졌고 공기는 따뜻해졌다. 11시에 나는 기자와 함께 주 경계선 쪽으로 뛰기 시작했다. 사진기자 한 명이 자전거를 타고 우리를 좇아왔다. 남쪽 다리, 플리터스도르프, 라인 강변의 드레센 호텔, 멜렘……우리는 편안한 속도로 계속 라인 강을 따라 뛰어갔다. 때때로 나와 함께 뛰는 기자가 던지는 질문에 답을 하는 것 말고는 평온하게 달리기를 할 수 있었다.

그런데 갑자기 라인 강 하류에 있는 용바위가 내 왼쪽에 있지 않고 처음으로 내 등뒤에 있는 것이었다. 나는 심장이 약간 뻣뻣해지는 것을 느꼈다. 나는 그때까지 장거리 주자에게 나타나는 졸도 현상과 심장마비와 다른 끔찍한 일에 대해서 다 알고 있지는 못했지만 조금은 알고 있었다. 나는 젊은 시절 자전거 선수로 한창 활동할 때 졸도 현상 비슷한 것을 경험한 적이 있었다. 졸도는 충분한 트레이닝을 거치지 않고 자신의 힘을 과도하게 쓰거나 훈련을 할 때 영양이 부족하면 생기는 것이다. 갑자기 생생하게 떠오른 기억이 있다. 한번은 훈련 중 자전거를 타고 집에서 멀리 떠났는데 아주 심하게 배고픈 적이 있었다. 그때 나는 먹을 것을 가지고 가는 것을 깜빡 잊었다. 그래서 나는 상당히 먼 거리를 아주 고통스럽게 집으로 돌아온 적이 있었다.

이런 오래 전의 경험이 반환점에 거의 다 왔을 때 갑자기 망각의 어둠 속에서 살아난 것이었다. 나는 나와 함께 뛰는 기자가 이런 사실을 눈치채지 못하도록 냉정하게 연기를 했지만 상당히 불안했다. 내가 너무 무리한 목표를 시도하고 있는 것은 아닌가라는 생각이 들었다. 그래도 우리는 라인 강을 따라 계속 달렸다. 멜렘의 마지막 집을 지나 바로 주 경계에 이르게 되었다. 우리와 같은 대담한 러너들에게 알려주기 위해 관청에서 세운 표지판에 분명하게 이렇게 씌어 있었다. "라인란트팔츠에 오신 것을 환영합니다."

잡지사 사진기자는 자전거를 타고 앞서 달려가 우리를 기다리고 있었다. 우리는 자료사진을 찍기 위해 경계선 표지판이 있는 곳에서 잠시 멈춰 섰다. 그리고 나서 돌아오기 시작했다. 이번 달리기에서 나는 처음으로 심박측정기라는 것에 대해 알게 되었다. 같이 뛰었던 기자가 이용하고 있었다. 또 그는 영양 공급과 훈련 프로그램 등 내가 그때까지는 모르고 있었던 많은 실제적인 조언을 해주었다. 그리고 나서 그 기자는 몇 개의 마라톤 레이스를 뛰며 느꼈던 자신의 체험을 이야기해주었다. 무엇보다 뉴욕 마라톤 대회에 대한 이야기가 흥미를 끌었다. "거의 반쯤은 탈진했다고 보아도 좋은 상태였습니다. 만약 당신이 34킬로미터 지점에서 지쳐 있으면 당신은 대충 브롱스 남쪽을 통과하고 있을 것입니다.

그곳에서는 사람들의 응원소리에 도저히 멈춰 서 있을 수가 없습니다." 브롱스 남쪽에서의 엄청난 광경과 허벅지 경련! 1997년 기자와 함께 달렸던 그 시간 이후 뉴욕 마라톤은 내 머릿속에서 떠나질 않았다. 다만 뉴욕 마라톤 말고 생각해야 할 일이 많다는 것이 안타까웠다.

약 2시간 30분 만에 정부청사 구역에 있는 집으로 되돌아왔다. 거의 끝 무렵에 두 다리 모두 너무나 무거웠다. 반환점을 돌아 달린 거리가 꽤 되었을 때 머리가 약간 지끈거렸다. 그러나 그런 것을 제외하고 내 상태나 지금까지 달린 시간을 고려할 때 상당히 성공적이었다. 하여간 집에 도착하자 같이 뛰었던 기자는 내가 예상했던 질문을 던졌다. 돌아오는 길에 나 자신 스스로도 이미 여러 번 던졌던 질문이었다. 마라톤에 한번 도전해볼 생각이 있는가? "못할 것 없다." 자신감 있게 대답을 했다.

그와 동시에 여러 가지 걱정도 떠올랐다. 하지만 나의 야심 찬 달리기 목표는 기자를 증인으로 발표된 셈이 되었다. 이렇게 함으로써 모든 일이 공개된 것이다. 학창 시절 달리기 시간에 들어본 적이 있는 신화, 옛날 아테네의 전령이 전투에서 승리한 소식을 전하기 위해 달렸다는 그 마라톤을 내가 실제로 하겠다고 나선 것이다. 그러나 나는 고대 신화의 영웅적인 첫 번째 마라톤 주자의 비극적인 운명처럼 죽거나 결승선에서 초죽음이 되어 쓰러지고 싶지는 않았다. 22.5킬로미터를 달릴 수 있는 사람은 42킬로미터도 달릴 수 있다고 생각했다. 물론 그것은 꼼꼼하고 철저하게 준비한 후에만 가능하다. 적절한 훈련 스케줄과 조언을 받을 경우 나도 내년에 마라톤이라는 모험을 감행할 수 있을 것이라고 확신했다.

이미 말한 것은 엎질러진 물이다. 그러나 이번 경우는 완전히 달랐다. 왜냐하면 나의 의도를 성급하게 말해버린 것이 2주 후, 스포츠 잡지에 실렸다. 그 스포츠 잡지는 다가오는 해에 마라톤을 뛰겠다는 것이 나의 계획이라고 실었다. 어리둥절한 나는 이 일이 있은 지 몇 일이 지나지 않아 편지를 한 통을 받았다. 발신인이 헤르베르트 슈테프니였다. 1980년대부터 1990년대 초까지 서독 최고의 마라토너 가운데 한 사람, 바로 그 사람이었다. 현재 슈바르츠발트 지방에서 달리기 교실을 운영하고 있는 헤르베르트 슈테프니가 나의 첫 번째 마라톤 준비 과정을 전문적으로 도와주겠다고 나선 것이다. 나 같은 초보자가 그런 경험 많고 훌륭한 트레이너를 감히 꿈이라도 꿀 수 있겠는가. 그래서 그에게 즉각 답장을 했다. 그의 따뜻하고 고귀한 제의를 기꺼이 받아들이고 여름에 휴가 계획을 잡는 대로 그에게 연락하겠노라고.

그렇지만 멋모르고 해버린 약속을 지키기 위해서 나는 마라톤 준비에 신경을 쓰기 전에 다른 문제를 먼저 풀어야만 했다. 지난 여름 휴가 때의 위기 이후 딱 일년이 지났다. 그래서 나는 그 사건의 장소에 혼자 가보고 싶었다. 그럴 경우 그곳에서의 달리기와 관련해 풀어야 할 여러 어려운 문제가 있었다. 우선 토스카나의 8월은 매우 무더울 것이다. 두 번째로는 크레테의 언덕을 넘어가는 옛 우마차 길은 가파르고 길며 먼지가 풀풀 날리는 험난한 코스다. 어쩌면 나에겐 상당히 무모한 짓일지도 몰랐다. 왜냐하면 내가 이러한 조건을 극복할 수 있을지 확신할 수 없었기 때문이다.

나는 그때까지 단지 평탄한 주로에서만 달려왔다. 주로 본의 라인 강변이나 마인 강의 지류인 프랑크푸르트의 니다 강변에서. 게다가 당시 나는 날씨가 더워지면서부터 프랑크푸르트의 숲길에서 뛰고 있다. 그곳에 있는 나무 그늘은 온도를 적당한 정도로 낮추어준다. 그러나 토스카나에서 보내기로 한 3주간의 휴가 때 내가 뛸 조건은 완전히 반대 상황이었다. 그래서 나는 상당히 고민했다. 뜨거운 날씨와 가파른 언덕이라는 열악한 코스 조건에서 내가 실제로 나의 훈련 리듬을 유지할 수 있을지 의심이 갔다.

이런 걱정이 완전히 근거 없는 것으로 판명되었으면 좋았을 텐데 그렇지 못했다. 크레테라고 불리는 시에나 지방의 언덕은 해발 200~300미터 정도의 높이였다. 그리고 토스카나의 일반적인 풍경과는 상당히 달랐다. 토스카나는 하천이 있는 계곡과 해안선 저편에 울창한 숲으로 이루어진 산이 일반적인 풍경을 이루고 있었다. 그러나 크레테의 언덕들은 대부분 완전히 민둥산이었다. 농가나 농장이 하나 있고, 가끔 교회의 첨탑이 하나 보이고, 띄엄띄엄 서 있는 한 그루의 나무……이런 모습이 낯설고 황무지 같은 농촌 풍경을 더욱 강조하는 것 같았다.

이 지역은 전체적으로 언덕이 많았다. 그리고 작은 시냇물이 무수히 많았다. 그렇지만 뜨거운 여름에는 물레방아 하나 돌릴 수 있는 시냇물을 찾아보기 힘들었다. 크레테 지역은 강렬한 태양빛 아래서 곡물과 화초 농사가 주종을 이룬다. 가끔 정원을 올리브나무로 울타리를 친 작은 농가나 농장이 보이기도 한다. 그 나머지 지역에선 대부분 양 목축을 하고 있다. 크레테 지방의 양 치즈는 유명하다. 특히 페코리노 치즈가 유명한데 신선할 뿐 아니라 맛도 그만이다.

크레테 지방은 포장도로가 적고 대부분 다져진 흙길이다. 그래서 여름철 한창 더울 때는 먼지가 일어나 모든 물건을 뿌옇게 뒤

덮는다. 그리고 크레테의 언덕들은 그리 높지는 않지만 비포장 길들이 별로 구불구불하지 않고 쭉 뻗어 있어 상당히 가파른 편이다. 이전에는 소들이 짐수레를 끌고 산을 넘던 길이다. 경사진 구간은 보통 14~18퍼센트 정도이며 1킬로미터 이상 되는 오르막이 적지 않게 있다. 8월 기온은 오후 5시경에 보통 섭씨 32도에서 38도까지 올라간다. 물론 여름 날씨도 일정하지 않다. 어떤 해에는 비가 자주와 빵을 굽는 오븐같이 푹푹 찌는 날씨 대신에 선선할 때도 있다. 1997년의 여름은 기온의 이런 두 가지 가능성이 서로 섞여 나타났다고 볼 수 있다.

아스치아노라는 커다란 군 단위 마을이 크레테의 중심부에 있다. 아스치아노에서 북동쪽으로 약 12킬로미터 떨어진 곳에 아주 작은 마을 토레아 카스텔로가 있다. 그 인근에 내 여름 거처가 있었다. 나는 매일 태양빛이 너무 강하지 않은 오후 5시경에 뛰었다. 토레아 카스텔로 마을의 묘지 구역을 지나 아스치아노 방향으로 비포장 길을 넘어 몽 상트 마리 지역까지 5.5킬로미터 뛰어갔다가 돌아왔다. 그러면 11킬로미터가 된다. 내가 달리는 길에는 언덕이 많았다. 또 다리를 질질 끌 듯 올라가야 하는 가파르고 긴 오르막도 있다. 또 이 길에는 오르막 내리막이 계속된다. 이 작은 오르막이 아주 힘들게 한다. 특히 까다로운 곳은 끝 지점이라 할 수 있다. 달리기가 끝나는 지점인 토레아 카스텔로의 묘지 구역으로 돌아오는 길에는 200~300미터 계속 이어지는 마지막 가파른 언덕이 있다. 그곳을 오를 때 심박수는 150에 근접한다. 그런 정도의 심박수라면 분명히 나의 최대 운동 능력치에 다다른 것이다(나는 초여름 이후 심박측정기를 이용하고 있었다. 그것으로 나의 개인적인 운동 능력 범위에 대해 정확하게 알고 있었다).

크레테에서의 첫 며칠 동안은 달리기 힘들었다. 비록 그럴 것이라고 예상은 하고 있었지만 언덕이 많은 곳에서 달린다는 것에 대해 제대로 알고 있지 못했기 때문이다. 첫 번째 달리기 후 근육에 심한 통증이 왔다. 다리 근육에 너무 많은 무리를 주었기 때문이었다. 그러나 며칠 후 나는 오르막 내리막 훈련을 지속적으로 계속 하였다. 그러던 중 자전거를 타던 과거의 경험을 통해 배운 것이 새롭게 생각났다. 아마 그것이 도움이 되었을 것이다. 나는 언덕을 오를 때 나만의 리듬을 발견하고자 하였다. 그리고 그것을 찾아냈다. 며칠 후에 갑자기 달리기가 되는 것이었다. 이전까지는 거의 질질 끌 듯 올라간 길을 이젠 달리고 있는 것이었다.

나는 처음에 했던 것처럼 이 오르막을 너무 빠르게 오르려 하지 않고 오르막 끝까지 계속 유지할 수 있는 중간 정도의 템포를 발견했다. 내리막을 달릴 때는 템포를 바꾸어 다음에 다가올 오

토레아 카스텔로와 아스치아노 사이의 크레테 풍경. 오른쪽 상단이 몽 상트 마리

르막 이전에 휴식할 기회로 이용했다. 4일 후에 나만의 템포를 발견했다. 주로의 오르내림에 따라 계속적으로 리듬을 바꾸어주는 것이 내가 덜 지치게 하는 방법이었다. 그래서 나는 먼지와 더위에도 불구하고 이 아름다운 농촌에서 달리는 것을 점점 더 좋아하게 되었다. 내가 두려워했던 것보다 상황이 훨씬 좋았다. 실제로 실패라고 생각할 만한 것은 없었다. 그와는 완전히 반대로 갈수록 템포를 변화시키기 시작했다.

때때로 양떼가 길을 가로지를 때는 어쩔 수 없이 짧은 휴식을 취할 수밖에 없었다. 양떼를 감시하는 개가 나를 보고 열심히 짖어댔다. 또 어떤 때는 조심스럽게 뛰어가야 했다. 가끔 있는 일이지만 길을 가로질러 급히 달려가는 자동차로 인해 멈춰야 하기 때문이다. 그런 차들은 먼지를 엄청나게 일으키고 지나간다. 유감스럽게도 그 당시 나는 훈련일지를 기록하지 않았다. 그 때문에 그 당시 내가 달린 시간에 대한 기록이 아무것도 남아 있지 않다. 그래서 그 다음해에 달렸던 시간과 비교할 수가 없다.

이미 말했듯이 아스치아노와 토레아 카스텔로 사이의 거리는 약 12킬로미터 정도 된다. 이 길은 묘지 구역에서 시작해서 같은 장소에서 끝난다. 나는 달리기 코스의 후반 부분, 즉 몽 상트 마리에서 아스치아노의 묘지 구역까지의 길이 아주 가파르기 때문

1997년 크레테에서

에 내가 지금까지 집에서 왔다갔다하며 이용한 코스보다 훨씬 더 힘들다는 것을 알게 되었다. 그렇지만 전 코스를 최소한 한 번은 뛰어보고 싶다는 생각이 머릿속에서 사라지지 않았다.

나는 친구에게 자동차로 아스치아노로 데려다 달라고 해서 거기서부터는 집으로 뛰어서 돌아오고자 했다. 아스치아노에서 집으로 돌아오는 코스에도 몇 군데 상당히 가파른 언덕이 있었다. 그 중 가장 긴 오르막이 1.2킬로미터 정도 되었고 상당히 가파른 언덕이었다. 보통 경사진 구간은 16~18퍼센트 정도 되었고, 어느 곳은 20퍼센트 정도나 되었다. 토레아 카스텔로는 아스치아노보다 높은 곳에 있었기 때문에 내가 달린 길은 상당히 힘든 코스였다. 아스치아노로 가는 코스보다 토레아 카스텔로로 가는 코스를 달리는 것이 2~3분 더 많이 걸렸다. 몇 개의 긴 언덕을 더 넘어야 하기 때문이었다. 휴가가 끝나기 3일 전에 나는 무모한 모험을 감행했다. 달리기로 크레테를 가로질러 묘지 투어를 하는 것이었다.

이미 아스치아노의 첫 번째 묘지에서 첫 오르막을 만났다. 그러나 이 정도 오르막은 별로 힘 안 들이고 올라갈 수 있어 워밍업 정도로 생각했다. 그리고 긴 내리막 코스를 지난 후에 정말 가파른 언덕을 만났다. 이 언덕을 아주 짧은 걸음과 템포로 간신히 올랐다. 그럼에도 불구하고 상당히 힘이 많이 들었는데, 안타까운 것은 이 오르막이 가장 긴 것이 아니라는 점이었다.

나는 힘을 적당히 나누어 쓰기로 계획했기 때문에 이 코스를 무난히 지날 수 있었다. 세상에 그렇게 긴 언덕들은 지금까지 보질 못했다. 계속해서 언덕이 나타났다. 그것도 계단식으로 가파른 오르막 후에 짧은 내리막, 또다시 가파른 오르막. 이런 식으로 점점 더 높아져갔다. 나는 내리막 코스와 가벼운 오르막을 달릴 때를 회복을 위한 시간으로 이용했다. 그리고 나면 또다시 엄청난 오르막이 앞을 가로막으며 나타났다. 마침내 한 작은 개천이 있는 골짜기로 들어가는 긴 내리막 후에 가장 힘들고 긴 1.2킬로미터 언덕이 나타났다. 그리고 아주 짧은 내리막이 있고 다시 몽상트 마리로 올라가는 가파른 언덕이 나타난다. 전체 2킬로미터 이상 되는 긴 언덕이다.

나는 우선 나의 리듬을 찾고자 노력했다. 그것은 매우 어려운 일이었다. 왜냐하면 첫 번째 아주 가파른 언덕에서 그 리듬을 잃어버렸기 때문이다. 그러나 계속 뛰면서 나는 그 리듬을 생각하였다. 날씨가 너무 더웠고 다리에 통증이 느껴졌다. 오르막에서는 내 심장박동이 최대치에 이르렀다. 위만 쳐다보지 말고 거리의 아름다운 풍경을 보자고 생각했다. 코스에 대해 너무 많이 생각하지 말자! 그리고 나는 몽 상트 마리를 향해 계속 뛰어 올라갔고 마침내 나와의 싸움에서 이겼다. 언뜻 정신을 차리고 보니 어느 순간엔가 나는 그곳에 도착해 있었다. 갑자기 집으로 가는 나머지 코스가 나에게 가벼운 연습 코스로 보였다. 그날 나를 그렇게 괴롭혔던 모든 언덕들이 갑자기 나에게 그저 별 게 아닌 것으로 느껴졌다. 물론 하나의 예외는 있었다. 토레아 카스텔로의 묘지 구역으로 가는 마지막 언덕이 그것이었다. 이 언덕은 정말 잔인했다. 정말 귀신도 쉬었다 넘어갈 만한 곳이었다. 천신만고 끝에 오르고 나니 다리가 너무 아팠다. 하지만 나는 이 마지막 시험을 성공적으로 마치고 내려가고 있었다.

집에 도착했다. 나는 너무나 자랑스러웠다. 아, 내가 정말 해냈구나! 정확히 일년 전에 나는 몸무게가 110킬로그램 나갔다. 그 당시에는 이렇게 달리기를 한다는 생각만으로도 까무러쳤을지도 모른다. 이제 나는 몸무게가 35킬로그램이나 줄었다. 그리고 아스치아노에서 토레아 카스텔로 코스를 좋은 기록으로 뛰어서 여행했다. 오르막과 더위와 먼지. 나는 이런 것들과 싸워 이겼고, 결국 해냈다. 나는 이제 내가 왜 크레테로 되돌아오고 싶어했는지 알 수 있었다. 이번 달리기 이후 나는 확신을 가지게 되었다. 내가 한번 정복한 길을 다음에 뛰더라도 결코 포기하지 않고 완

주할 수 있을 것이라고. 이제 나의 첫 번째 마라톤을 위한 준비를 실제로 시작할 수 있게 되었다.

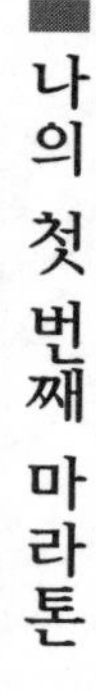

나의 첫 번째 마라톤

마라톤에 한번 도전해볼 생각이 있는가? 못할 것 없다.
학창 시절 달리기 시간에 들어본 적이 있는 신화,
옛날 아테네의 전령이 전투에서 승리한 소식을
전하기 위해 달렸다는 그 마라톤을 내가 실제로
하겠다고 나선 것이다. 그러나 나는 고대 신화의
영웅적인 첫 번째 마라톤 주자의 비극적인 운명처럼
죽거나 결승선에서 초죽음이 되어 쓰러지고 싶지는
않았다. 22.5킬로미터를 달릴 수 있는 사람은
42킬로미터도 달릴 수 있다고 생각했다.

나 자신에 대한 완전한 개혁. 나는 처음에 이것을 과연 해낼 수 있을지 의심을 가지고 시작했다. 그리고 이를 완수하는 데 거의 일년이 걸렸다. 그 일년은 외롭고 혹독하고 때로는 아주 의미있게 포기한 세월이었다. 그러나 동시에 매우 많은 것을 다시 얻었다. 내가 일년 전에 아주 대담하게 꿈꾸며 생각했던 것보다 훨씬 더 많은 것을 얻었다. 뚱뚱한 배불뚝이에서 많은 것을 절제하고 수척한 모습을 지닌 수도승 같은 장거리 러너로 바뀌었다. 내 몸에 잔뜩 쌓여 있던 지방은 확실히 사라졌다.

나는 요즘 편안한 마음으로 건강하게 살고 있다. 내가 육체적으로 나 자신을 포기했던 그런 시절은 이제 과거가 되었다. 만약 일년 전에 누군가가 요쉬카 피셔는 50살 생일에 몸무게가 단지 75킬로그램밖에 안 될 것이고 마라톤 대회에 나갈 생각을 하게 될 것이라고 예언한 사람이 있었다면 나는 그 사람을 심하게 비웃었을 것이다. 그 당시 나는 이미 나태하고 욕망을 충족시켜야만 직성이 풀리는 오래된 생활 습관에 빠져 있었다. 그런데 이젠 어떤가? 나 자신에 대해 너무나 자부심을 가지고 있지 않은가! 나는 성공했다. 그런 늪에서 혼자 힘으로 기어나온 것이다. 그리고 가장 중요한 것은 나 자신을 다시 발견했다는 것이다.

그런 과정에서 특별하고 가장 중심적인 역할을 한 것이 달리기였다. 또 달리기는 내 생활에서 그 의미가 점점 더 커지고 있다. 이 의미는 육체적인 면에서뿐만이 아니라 정신적인 부분에서 더욱 크다. 육체의 본 모습을 되찾은 것은 확실히 또 다른 나의 가치를 느낄 수 있게 해주었다. 그와 동시에 나의 자의식도 되찾게 해주었다. 사실 내가 아주 좋지 않은 상황에 있을 때는 자의식이 부족하다는 것조차 느끼지 못했다. 그러나 더 결정적인 것은 달리기가 내 정신에 미치는 명상적인 심리 효과다. 장거리 달리기를 할 때 계속 이어지는 단조로운 발걸음 속에서 자신의 육체에 대해 느끼고, 자연—추위, 비, 더위, 먼지, 바람, 어둠, 햇빛, 강, 숲, 도시, 교통, 모두 다른 소리, 색깔, 빛, 소음 등—과 교감하고, 고통의 단계 이후에 머릿속이 깨끗하게 빈 것 같은 느낌을 체험하고, 또 어떤 때는 달리면서 떠오르는 한 가지 생각이나 아이디어에 집중하게 된다. 이 모든 것이 달리기라는 것을 통해 내 자아 속에서 커다란 조화를 이루며 결합한다.

나는 이런 느낌이 좋기 때문에 달리기를 할 때 말을 해야만 하는 상황이 가장 싫다. 말을 하게 되면 나의 달리기 생활에서 가장 중요한 나 자신으로의 침잠을 빼앗기기 때문이다. 달리기를 하는 중에는 무엇보다도 오로지 나 자신과만 함께 하고 싶다. 내 정신과 육체를 순수하게 가다듬는 일종의 자아여행이라고 할 수 있다. 침묵만 깨어지지 않는다면 같이 달리는 사람이 있거나 대회에 나가 많은 사람들이 함께 뛰어도 방해가 되지 않는다. 나는 지난 일년을 진짜 말 그대로 달려온 이후, 이제는 매일 경험하는 이런 발걸음의 리듬을 포기할 수가 없다. 아니 포기하고 싶지 않다.

나는 내적인 균형 감각을 천천히 회복하고 나의 새로운 생활에 나를 적응시키는 데 꼬박 일년이 필요했다. 완전히 새로운 식사를 하고 비가 올 때나 더울 때나 특히 겨울에도 아주 철저히 일일 계획과 일주일 단위 훈련 계획을 세워 실행했다. 이러한 모든 것들이 나의 전체적인 생활 리듬을 근본적으로 바꿀 수 있게 해주었다.

이제 달리기는 살빼기 위한 운동이 아니라 다른 생활 스타일을 추구하고자 하는 활동이다. 달리기는 나의 생활에 있어 가장 우선 순위의 것이 되었다. 또한 달리기는 나의 새로운 생활에 분명한 틀을 만들어주었고 방향과 받침대를 마련해주었다. 1997년 여름 토스카나에서의 달리기 휴가 후에 나는 새로운 생활 리듬을 발견했다. 이제 이러한 리듬을 깨는 그 어떤 것도 내 일상생활에 끼여들게 하고 싶지 않다. 지금도 그렇고 앞으로도 그럴 것이다.

배불뚝이 뚱보라는 과거의 상황으로 되돌아가거나 퇴보하는 일은 없을 것이다. 왜냐하면 나의 오랫동안의 경험으로부터 이 정도면 충분하다는 것을 알고 있기 때문이다. 왜? 이유는 아주 간단하다. 나는 이제 그런 사람이니까. 나라는 기차가 언젠가 안개 속에서 헤매며 새로운 방향으로 가려고 할 때, 그렇게 빨리 멈춰지지도 않을 것이지만 또 반대 방향으로 되돌아갈 수도 없을 것이다. 그것이 항구적인 내 모습이 된 것이다. 내 인격 속에 깊게 자리잡은 이런 부분은 커다란 변화가 있더라도 결코 변할 수 없게 되었다.

이미 밝혔듯이 나는 날씬하게 되는 과정을 주변 사람들에게나 호기심 많은 대중들에게 숨기려 하지 않았다. 나의 살빼기 작전에 대한 대중적인 관심은 아주 강하게 나타났다. 그때나 지금이나 나에게 수많은 질문이 쏟아진다. 그리고 수많은 비슷한 질문과 대답이 언제나 반복되었다.

시간이 지나면서 나의 살빼기에 대한 질문과 대답을 크게 세 가지로 구분할 수 있었다. 우선 어느 곳에 가나 사람들은 내가 80킬로그램 이하로 살을 빼려고 한다는 것을 참 용기있는 선언이라고 하면서도 약간은 긴장감을 갖고 마치 당연한 듯 분명히 회의적인 시선으로 나를 쳐다보았다. 곳곳에서 사람들이 다음과 같은 말을 하고 싶어하는 것을 분명히 느낄 수 있었다. "이봐, 자네는 결코 그 일을 할 수 없네!" 내가 75킬로그램에 도달한 이후에는 그들의 하고 싶은 말들이 바뀌었다. "그래, 그래, 일시적으로 그럴 수도 있지. 어쨌든 대단해, 존경해!" 그러면서 사람들은 계속 기다리고 있을 것이다. 왜냐하면 내가 요요 효과로 인해 다시 뚱뚱해질지도 모르기에. 그렇기 때문에 사람들은 내가 그 새로운 몸무게를 계속 유지하지 못할 것이고 분명히 몸무게가 다시 늘어날 것이라고 생각하고 있다. 체중을 줄이는 것은 매우 어려운 일이다. 그러나 줄인 체중을 그대로 유지하는 것은 그것보다 몇 배나 더 어렵다!

약간은 악의에 찬 기대감을 담고 있는 이 말들이 틀렸다는 것을 보여주고 싶었다. 그리고 일년 후 지금, 내가 실패하기를 은근히 바라며 지켜보았던 사람들은 이제 저놈이 새로운 프로그램을 실제로 실행하고 있군 하고 속으로 자인할 수밖에 없었을 것이다. 그러자 이젠 하고 싶은 말이 새롭게 바뀌었다. 이번에는 얼굴을 찌푸리며 걱정스러운 듯 표현한다. "이런 세상에, 아이고 불쌍한 놈, 네 얼굴이 너무 안돼 보인다!" "이제 충분해, 우린 너를 진심으로 걱정해서 하는 말이야!" "아니야, 이건 정상적으로는 이럴 수가 없어. 틀림없이 뭔가 다른 것이 숨어 있을 거야." "피셔 씨, 어디 아프세요?" 암, 에이즈, 페스트, 콜레라 등 기억하기도 힘들 정도로 많은 병을 나와 관련시켰다. 일반적으로 일년 안에 몸무게를 35킬로그램이나 줄일 수는 없다. 또 50살 먹은 사람이 인생의 황금기 때처럼 보일 수도 없다.

당연한 것이지만 이제 나는 머리도 희고, 주름살도 많고, 여위었다. 그리고 노력할 것은 노력하고 포기할 것은 포기해온 삶으로 인해 내 기분이 봄 향기처럼 항상 유쾌한 상태는 아니었다. 사실 그런 것은 중요하지 않았다. 실제로는 내가 아주 건강함에도 불구하고 계속해서 공개적으로 심각한 병을 언급하는 것의 배경에는 완전히 다른 어떤 것이 숨어 있었다. 나의 급격한 살빼기는 사실 내 뒤에 남아 있는 많은 뚱보들에게 조용한 위협이 되고 있었다. 그래서 언제 다시 살이 찔까 관심있게 지켜보는 은근한 기대감으로 인해 대중적인 흥밋거리가 된 것이다.

그런데 나의 거의 완벽한 성공은 그 사람들에게 점점 위협적인 것이 되기 시작한 것이다. 나에 대해 자꾸만 병을 언급하는 것의 배경에는 무엇보다도 자기방어가 숨어 있었다. 진지하게 나를 걱정해주는 것은 아니었다. 그렇게 급격한 육체의 변화가 계속 유지되고, 50살 먹은 정치가가 매일 스트레스 받는 생활 속에서도 여전히 변함이 없다면 갑자기 많은 사람들이 그들의 비만을 진지한 문제로 삼을 것이기 때문이다. 당신은 대체 왜 그렇게 살을 빼지 못하느냐고.

그래 맘대로 생각해. 그들 또한 언젠가는 알게 되겠지. 피셔, 너는 똑바로 계속 나아가라! 나는 속으로 이렇게 생각했다. 그리고 나는 이미 나의 새로운 리듬을 발견했다. 살빼기는 이제 완전히 뒷전이었다. 왜냐하면 나는 이제 내 몸무게를 유지할 수 있었고 더 떨어지지도 않았기 때문이다.

달리기는 내가 새롭게 열정을 쏟는 것이 되었다. 나는 젊은 시절처럼 트레이닝에 모든 것을 쏟지는 않았다. 그렇지만 달리기는 참으로 많은 즐거움을 주었고 지금도 주고 있다. 아직까지는 그 끝을 알 수 없다. 아침에 일어나면 팔, 배, 등 운동을 한다. 그리고 나서 달리기를 한다. 만약 아침에 못하면 오후에라도, 그게 정 안 되면 저녁이나 밤늦은 시간이라도 달리기 운동을 한다. 일주일에 5, 6번씩 최소한 10킬로미터를 달린다. 일요일에는 대부분 그보다 훨씬 먼 거리를 뛴다.

먹는 것은 살빼기를 계획하고 새롭게 시작했던 모범적 식단을 지금도 계속 따르고 있다. 아침식사로 뮤슬리를 먹고 오렌지나 포도주스, 커피를 마신다. 그리고 점심은 특별한 식단이 아닌 채소와 바나나를 먹고 계절 과일이나 신선한 오렌지 주스, 많은 물을 마신다. 저녁은 채소 위주로 샐러드와 파스타를 먹는다. 그리고 일주일에 한두 번 고기를 먹고 생수와 에스프레소를 마신다. 그러나 계속해서 지켜온 원칙이 있다. 앞으로도 이것을 계속 지켜갈 것이다. 육류 노! 단것 노! 알코올 노!

나의 지금까지의 삶은 이미 지나갔다. 또 나의 뚱뚱했던 과거는 이제 막을 내렸다. 토스카나에서 돌아온 후 그 점에 대해 확신을 가질 만큼 분명해졌다. 휴가를 다녀온 후 헤르베르트 슈테프니가 프랑크푸르트로 왔다. 그리고 우리는 나의 첫 마라톤을 위해 아주 구체적인 계획을 짰다.

그 해 가을 첫 번째 마라톤과 관련해서 더 진전된 것은 아무것도 없었다. 왜냐하면 가을에 마라톤을 뛰기에는 준비 기간이 너무 짧다고 생각했기 때문이다. 그 다음 해 나의 정치 일정은 연방정부의 여러 가지 일 때문에 상당히 빡빡했다. 실제로 1998년은 일년 내내 여러 선거가 맞물려 있을 가능성이 컸다. 가을까지는 연방의회 선거가 정점에 달할 것이 분명했다. 내가 당을 위해 완전히 다른 의미의 마라톤, 즉 기나 긴 선거전에 완전히 몰입해야만 하는 것은 너무나 분명했다.

결국 고난과 기쁨을 함께 주는 42킬로미터가 넘는 거리의 마라톤 대회의 첫 출전을 위해 1998년을 포기하던가 아니면 내년 초에 혹시 시간이 날 가능성이 있는 때를 이용할 수밖에 없었다. 그런데 나의 50회 생일 일주일 후에 있는 함부르크 마라톤 대회는 고민이 되었다. 나는 그 대회를 준비하기로 했다. 물론 나의 고향인 프랑크푸르트에서 더 뛰고 싶었다. 그러나 프랑크푸르트 대회가 11월에 있기 때문에 1997년에 뛰기에는 너무 이르고, 그 다음 해 뛰기에는 너무 늦었다. 또 1997년에 뛴다고 하면 선거전을 위한 체계적인 준비에 소홀하게 될 것 같았다. 그래서 유감스럽지만 프랑크푸르트 대회는 포기한 것이다. 베를린 마라톤도 여러 가지로 맞지 않았다. 대회 날이 연방의회 선거 14일 전이었기 때문에 너무 위험했다. 선거 몇 일을 남기고 달리기를 하다가 결정적인 불행을 당하는 일을 상상하고 싶지도 않았다. 마라톤 대회에 처음 참가하는 나로서는 이런 걱정을 하지 않을 수 없었다. 그래서 베를린 마라톤 대회는 더 이상 생각하지 않기로 했다. 그래서 봄에 뛸 수 있는 마라톤 대회는 4월 19일에 있는 함부르크 대회밖에 없었다.

음식, 호흡법, 주법, 체계적인 트레이닝, 건강, 나는 궁금한 모든 문제를 나의 새로운 트레이너와 심도 있게 토론했다. 그는 그 자리에서 고쳐주고 개선해주었다. 그리하여 나의 마라톤 트레이닝은 점점 완성되어갔다. 헤르베르트 슈테프니는 내게 두 가지 중요한 점을 가르쳐주었다. 첫 번째는 세세하게 훈련일지를 쓰는

1997년 11월 17일

것이었고, 두 번째는 기초적인 건강 체크를 해야 한다는 것이다. 그래서 그의 도움으로 프라이부르크 대학의 스포츠과학연구소 코일 박사에게 건강 체크를 받았다. 건강 체크는 10월 하순에 있었다. 심장근육 검사, 부하 검사, 피 검사와 다른 운동 능력 검사, 정형외과적 검사 등, 결과는 아주 건강하고 내 나이대의 다른 사람에 비해서 아주 좋은 상태라는 것이었다. 내 나이대의 다른 사람들은 아프고 허약하기 때문에! 나의 심장과 순환기 계통은 아무런 결함이 없었다. 젊었을 때 느꼈던 심장을 콕콕 찌르는 듯한 고통은 근육통이었거나 그 당시 건강 상태에 대한 두려움의 표현일 수도 있다는 것이었다. 의사의 진단이 긍정적으로 나왔기에 이제 의학적으로 나의 첫 번째 마라톤을 위한 길에 걸림돌은 아무것도 없었다.

나의 훈련일지를 처음으로 쓴 날은 1997년 10월 27일 월요일이었다. 거기에는 회복을 위한 달리기(recovering running, 전날 강도 높은 달리기 훈련 후 천천히 아주 약한 강도로 뛰며 근육의 피로를 회복하며 달리는 것 : 옮긴이), 10킬로미터, 1시간 02분, 쌀쌀함이라고 적혀 있다. 다음 날에도 다시 한 번 회복기 훈련으로 1시간 13분에 12킬로미터를 뛴 것으로 적혀 있다. 수요일에는 템포런(Temporunning, 달리기 훈련을 할 때 처음과 끝에는 천천히 달리고 그 중간에는 레이스를 할 때의 속도로 달리는 것 : 옮긴이)으로 10킬로미터를 55분에 뛰었다. 목요일에는 10킬로미터 지속주(distance running, 달리기의 처음부터 끝까지 일정한 속도를 유지하며 달리는 것 : 옮긴이)를 57분에, 금요일에는 다시 회복기 훈련으로 10킬로미터를 1시간 02분에 뛴 것으로 되어 있다. 토요일에는 축구를 하고 일요일에는 24킬로미터 이상 장거리 지속주(LSD, Long-Slow Distance Running, 장거리를 일정한 속도로 천천히 뛰며 지구력을 키우는 달리기 : 옮긴이)를 2시간 05분에 걸쳐 한 것으로 적혀 있다.

날씨는 훈련일지에 적혀 있는 것처럼 매일 추웠지만 다행히 건조했다. 1997년 10월 27일부터 11월 2일까지 훈련일지를 적기 시작한 첫 일주일 동안은 76킬로미터를 달린 것으로 기록되어 있다. 그 다음 4주간 각 일주일 달린 거리는 56킬로미터, 94킬로미터, 78킬로미터, 72킬로미터이다. 12월 1일과 2일 마라톤 일기에는 유행성 독감으로 앓아 누워 있었고, 3일에는 날이 흐린 상태로 눈발이 좀 날렸고 기온은 영상 2도인 상태에서 13킬로미터를 달린 것으로 되어 있다.

나는 그러한 훈련일지를 스포츠적인 관점에서나 나중을 되돌아보기 위해서라도 꼭 쓸 것을 권하고 싶다. 그때그때 훈련일지를 썼기 때문에 내가 지금 오래된 훈련일지를 서랍에서 꺼내어 보고 나 자신이 얼마나 노력했고, 고통을 당했고, 어떤 생각을 했는지 회상할 수 있는 즐거움을 누릴 수 있는 것이다. 과거 자신의 영웅적인 행위를 되돌아보는 것만큼 달콤한 것은 없을 것이다. 모든 고통과 흘렸던 땀방울은 이미 오래 전에 기억 속에서 사라지거나 잘못 이상화되기도 한다.

나의 훈련일지에는 몇 가지 특이한 경험이 생생하게 기록되어 있다. 1997년 12월 15일, 나는 눈이 퍼붓는 날 밤에 빈의 프라터 공원을 달렸다. 16일에는 베른에서, 17일에는 취리히에서 눈 속을 달렸다. 그리고 12월 18일과 19일은 파리에서 뛰었다. 파리의 한 호텔에서부터 센 강변의 왼편을 따라 에펠탑 옆을 지나서 센 강의 반대편을 따라 루브르를 거쳐 돌아왔다. 크리스마스에는 프랑크푸르트에서 뛰었고, 12월 30일에는 10킬로미터 내 최고 기록인 53분을 기록했다. 그리고 1998년 새해 첫날을 니다 강가에서 16킬로미터를 1시간 28분에 뛰면서 시작했다. 2월 1일 일요일에는 25킬로미터 장거리 지속주를 2시간 14분에 뛴 것으로 적혀 있다. 칼날같이 추운 바람, 혹독한 날씨, 영하 2도. 실제로 나는 이 날의 달리기를 아직도 생생하게 기억하고 있다.

그날 얼마나 강하고 차가운 바람이 불었는지 나는 돌아오는 길에 안면 근육이 얼어버렸다. 그래서 나는 달리기가 끝나고 집에 돌아와서 바로 육성으로 그날의 어려움을 녹음해놓았다. 1998년 2월 첫 주부터 처음으로 인터벌 러닝(interval running, 일정 거리를 빠른 속도로 달리다가 또 일정 거리를 천천히 달리는 것을 몇 회 반복하는 달리기 훈련 : 옮긴이)을 시작한 것으로 되어 있다. 이미 헤르베르트 슈테프니의 상세한 트레이닝 계획에 있었던 것이다. 1998년 2월 3일, 몸무게 74.2킬로그램, 인터벌 1000미터 4회, 총 10킬로미터, 58분, 영하 1도, 밤. 그날은 라인 강변을 따라 플리터스도르프 방향으로 달려갔다가 다시 돌아왔다.

나는 1997년 10월 이후 매일 계획에 따라 달렸다. 그 계획은 헤르베르트 슈테프니가 자신의 모든 마라톤 경험을 담아 친구를 사랑하는 마음으로 아주 조심스럽게 만든 것이었다. 그것은 단지 40일간의 예비 계획이었다. 그 계획은 다음과 같은 리듬을 가지고 있었다.

〈1주〉

월요일/화요일　60분간 아주 천천히 회복을 위한 달리기

수요일　6~8킬로미터 아주 편안한 지속주와 처음과 끝의 각 5킬로미터씩 웜업-쿨다운 달리기

목요일　10킬로미터 지속주

금요일　회복을 위한 달리기

토요일　축구

일요일　약 20킬로미터 천천히 오래 달리기(LSD)

〈 2주 〉

월요일/화요일　60분간 회복을 위한 달리기

수요일　10킬로미터 종합주(천천히 템포를 바꾸고, 오르막을 달리고, 여러 속도로 변화를 주어 뛴다)

목요일　10킬로미터 지속주

금요일　회복을 위한 달리기

토요일　축구

일요일　20킬로미터 이상 천천히 오래 달리기

해가 바뀐 후에 첫 마라톤 대회를 위해 그 계획들을 나는 더욱 구체적으로 실천하기 시작했다. 왜냐하면 함부르크 마라톤 대회 전인 1998년 3월 1일 일요일에 내 고향인 프랑크푸르트에서 하프 마라톤 대회가 있었기 때문이었다. 이미 체계적으로 짜여진 계획은 1998년 4월 19일 함부르크 마라톤 대회 날까지의 시간을 위해 작성된 것이었다. 나는 그때까지 매일 그것을 실천하고 있었다. 훈련 계획은 정확히 12주에 맞게 짜여진 것이었다.

1월 17일과 18일의 주말을 나는 동프리랜드의 한 섬인 슈피커로크에서 강한 바람과 추운 날씨 속에서 보냈다. 그 섬의 모래는 거의 완전히 나만을 위해 있는 것같이 보였다. 그때 토요일 훈련 일지에는 다음과 같이 적혀 있다. 슈피커로크, 가장 멋진 달리기, 바다, 고독, 바람, 모래, 매우 힘든 날씨, 영상 10도, 14킬로미터, 1시간 30분. 실제로 그 섬은 아주 아름답지만 미친 듯 날뛰는 북해의 파도가 항상 몰아치는 곳이다. 내가 뛴 거리의 반은 모래 위에서 매우 강한 맞바람을 안는 코스였다. 바람은 내가 가만히 서 있을 수 없게 만들 정도로 세게 불어 다리에서 온 힘이 빠져나가는 것 같았다. 그럼에도 불구하고 내 기억에 이 섬에서의 달리기는 아주 멋진 자연 체험으로 남아 있다.

1998년 2월 15일 일요일, 나는 헤르베르트 슈테프니와 함께 이전까지 가장 먼 거리인 27킬로미터를 달렸다(15도, 27킬로미터, 2시간 28분). 나는 이 거리를 훌륭하게 견디어냈다. 이날 훈련 일지에 특별한 것이 아무것도 없는 것으로 보아 그렇게 생각된다. 내 몸무게는 73에서 75킬로그램 사이를 왔다갔다했다. 3월 1일에 나는 처음으로 달리기 대회에 참가했다. 맑았지만 조금 추운 일요일 아침이었다. 프랑크푸르트 도시공원의 하늘은 차갑게 느껴지는 파란색이었다. 아침 10시에 달리기는 시작됐다. 시간 계측은 전자 칩으로 이루어졌다. 나는 출발 전에 참가자들 몇몇과 함께 어느 정도 시간 동안 워밍업을 위해 달렸다. 그러면서 케냐에서 온 최고의 달리기 선수들을 보게 되었다. 케냐에서 온 남녀 선수 모두 결국 자기들끼리 경쟁을 해야만 하는 상황이었다. 나는 처음으로 출발 전에 긴장되어 떨리는 것을 경험하였다.

경기가 시작되자마자 나는 매우 혼란스러웠다. 출발 신호가 울리자 모든 사람들이 엄청나게 빠른 속도로 달려나갔기 때문이다. 나 또한 연습할 때의 페이스를 잃고 상당히 빠른 템포로 뛰어나가고 있었다. 너무 빨랐다. 나는 몇 백 미터도 못 가 숨이 차기 시작했다. 페이스가 너무 빠르다는 것은 심박기를 통해서도 알 수 있었다. 마라톤 대회 현장의 정신없는 상태에서도 자신의 페이스를 조절할 수 있도록 연습해야겠다고 생각했다. 나는 속도를 조금씩 줄여나갔다. 그리고 나에게 맞는 주자들의 그룹을 찾았다. 그들과 같이 뛰니 나의 템포를 찾을 수 있어 계속 그 그룹의 속도에 맞춰 뛰었다. 헤르베르트 슈테프니는 나의 목표 시간을 1시간 40분으로 설정해주었다. 그 목표 시간을 위해 1킬로미터당 4분 45초의 속도로 달려야 했다. 10킬로미터까지 나는 철저하게 구간 기록을 지키며 달렸다. 그 이후 나는 조금 빨리 달릴 수 있었고 사실 그러고 싶었다.

이러한 전략을 실천하는 것은 나 같은 초보자에게는 말처럼 쉽지 않다. 처음 달리기 시작했을 때의 혼란과 모든 사람들이 서둘러 뛰어나가기 때문에 나같이 연습이 안 된 초보 러너들은 자신도 모르게 다른 주자들을 따라 무리하게 된다. 나는 한 1킬로미터 조금 지나 내 앞의 한 사람을 계속 주시하며 뛰었다. 그는 아주 일정하게 나에게 맞는 템포로 뛰고 있었다. 그래서 나는 그의 발꿈치를 보며 앞으로 나서지 않았다. 10킬로미터 표지판이 지난 후에 정말 제대로 뛸 수 있었다. 보통 우리가 달리기가 제대로 될 때 굴러간다고 말하는 것처럼 뛸 수 있었다. 내 앞에 뛰고 있는 남자는 아주 일정한 속도로 나의 페이스메이커로서의 역할을 잘 수행해주었다. 그러나 나는 여전히 힘이 남아 있다는 것을 느끼고 있었다. 그래서 결승점을 3킬로미터 남겨놓은 지점에서 앞으로 뛰어나갔고 결국 나의 첫 번째 하프 마라톤 기록은 1시간 37분 33초였다. 나는 이 기록에 아주 만족했다. 2년 전, 그러니까 1996년 3월에 나는 어떤 상태에 있었는가? 그 당시 나의 몸 상태는 최악이었다. 몸무게가 분명히 110킬로그램이 넘었다. 나는 너무 기뻤다. 비록 내가 아닌 다른 누군가가 이 일을 해냈다 하더라도 나는 매우 기분 좋아했을 것이다.

3월 15일에 나는 처음으로 30킬로미터를 뛰었고 시간은 2시간 51분 걸렸다. 특별한 사항은 기록되어 있지 않다. 특별한 일은 2주 후에 있었다. 3월 29일 일요일, 그 해 처음으로 정말 봄다운 날이었다. 정해진 내 계획에는 이날 32킬로미터를 뛰어야 하는 것으로 되어 있다. 훈련하는 과정에서 가장 긴 거리를 달려야 하는 날이었다. 기온은 적당히 따뜻했다. 내가 오후 일찍 뛰러 나갔을 때 햇빛은 내리쬐는 듯했다. 나는 장거리 달리기를 할 때 늘 그런 것처럼 체내 수분 손실을 막기 위해 물 한 병을 가지고 뛰었다. 약 20킬로미터 이후 수분 공급이 부족하면 몸이 바로 안 좋은 반응을 보이기 시작하기 때문이다. 달리기 시작하여 처음 얼마 동안은 몸이 잘 풀려 아주 가볍게 느껴졌다. 그래서 그런지 지난번 하프 마라톤 대회 때 실수했던 것처럼 나는 그만 3킬로미터까지를 너무 빨리 뛰고 말았다. 오버페이스를 한 것이다. 그래도 몸은 가볍게 느껴져 별로 신경을 쓰지 않고 계속 그 페이스를 유지했다. 속도를 늦추지 않았던 것이다. 그런데 그것이 심각한 잘못이라는 것이 드러났다. "25킬로미터 이후 처참하게 무너지기 시작, 그렇게 갑자기 무너지다니, 더위!" 그날의 훈련일지에는 이렇게 적혀 있다. 그리고 "물이 너무 부족했다!"라고 씌어 있다.

달리기 템포, 처음의 오버페이스, 달리는 중 기온 변화, 체내 수분 부족, 이런 것들이 소위 마라톤 벽에 부딪히게 하는 원인들이었다.

나는 달리기 템포를 늦춰 거의 발을 질질 끌고 걸어가는 형국이었다. 그러나 나는 맥박을 분당 130회 이하로 떨어지지 않게 하려고 노력했다. 그것은 나의 자존심에 관한 문제였다. 그런데 갑자기 귀에서 좋지 않은 압박감이 느껴지기 시작했다. 심한 감기에 걸렸을 때와 같은 느낌이었다. 귀가 멍멍해졌다. 그래도 다리는 여전히 힘겹게 앞으로 나가고 있었다. 다리 힘이 떨어지는 것보다 내 몸의 반응이 더 걱정되었다. 너무나 힘들게 달리고 있었기 때문이었다. 그렇지만 힘이 닿는 한 계속 앞으로 가고 있었다. 나는 규칙적으로 물을 마셨다. 준비해간 0.5리터 물병은 이제 거의 바닥을 드러냈다. 그렇게 따뜻한 봄날에는 너무 부족한 양이었다. 16킬로미터 반환점 표지까지 가기 전에 이미 물이 떨어졌다. 그러나 포기하거나 중단할 수 없었다. 다리에는 아직 힘이 있었기 때문이다. 다만 맥박과 귀에서 나타나는 이상한 반응이 걱정이 될 뿐이었다.

반환점을 돌아 집으로 오는 길에 공중화장실 수도에서 물을 받아 마셨다. 나는 완전히 녹초가 되어 3시간 12분 52초 만에 집으로 돌아왔다. 이번 달리기는 나에게 생각해야 할 많은 교훈을 주었다. 나는 내 자신을 과대평가하고 있었고 거리, 더위를 과소평가하고 있었던 것이다. 이날의 교훈 덕분에 함부르크 마라톤 대회에서 아무 일도 없이 완주할 수 있었다고 생각된다.

함부르크 대회를 2주 앞두고 나는 두 번의 장거리 오래 달리기(LSD)를 실시했다. 한 번은 30킬로미터였고 또 한 번은 20킬로미터였다. 이 점에 대해 자세히 적어놓은 것이 없다. 4월 6일 월요일, 나는 선거 유세를 위해 할레에 있었다. 나는 그곳에서 몬트리올 올림픽과 모스크바 올림픽 마라톤에서 두 번이나 우승한 발데마르 치에르핀스키를 비롯한 여러 러너들과 함께 10킬로미터를 달렸다. 나는 그 대스승에게 마라톤에서 가장 중요한 것이 무엇인가 물어보았다. 그러자 발데마르 치에르핀스키는 단 한마디의 말로 대답했다. "체계적인 훈련."

치에르핀스키는 다음과 같은 말을 해주었다. 마라톤 대회에 참가한 대부분의 사람들은 초반에 너무 빨리 뛰어나가는 경향이 있다. 이런 초반의 오버페이스는 단지 아마추어 마라토너들에게만 적용되는 것은 아니다. 세계적인 엘리트 마라토너들에게서도 이런 잘못을 볼 수 있다. 처음에는 마라톤이라는 장거리를 뛴다는 생각과 경기장 분위기에 고조되어, 또 달리는 중에 주자들에게

1998년 4월 할레에서 올림픽 마라톤 우승자 발데마르 치에르핀스키와 함께

보내는 관중들의 응원에 고무되어 많은 사람들이 자신의 페이스를 잃고 오버페이스로 뛰게 된다. 경기 초반의 오버페이스는 나중에 무서운 결과를 가져온다. 진짜 마라톤은 34~36킬로미터 지점부터 시작된다고 할 수 있기 때문이다. 이 정도 지점에서 여러 어려운 일들이 생긴다. 이런 것은 아마추어 마라토너들에게 많이 나타난다. 체내 글리코겐 비축분이 고갈되면서 이 고비에서부터 대부분 급격히 무너지게 된다.

나는 지난 번에 32킬로미터를 뛰면서 처절하게 느꼈던 내 자신의 경험을 바탕으로 치에르핀스키의 말에 동조할 수 있었다. 내가 스스로 발견한 원칙 중의 하나는 마라톤 연습 과정에도 체계적으로 훈련하고 실전처럼 훈련한다는 것이다. 나는 곧 다가올 함부르크 마라톤 대회에서뿐 아니라 계속해서 지켜야만 할 원칙이 또 하나 있었다. 1998년 4월 12일 토요일에 나는 50살이 된다. 나는 아마 반세기 동안 독일이나 유럽의 생수업자들이 생산해낼 수 있는 양만큼의 물을 달리는 중에 쏟아부었을 것이다. 나는 그 덕분에 20킬로미터를 지나서도 힘을 많이 들이지 않고 달렸다. 트레이닝 과정 중 세운 원칙을 그대로 따랐다. 이제 내가 마라톤이라는 큰 모험을 하기 위한 시간이 일주일 남았다. 그러자 나에게 천천히 어떤 좋지 못한 생각이 자꾸 머릿속에 떠올랐다. '피셔, 너 무슨 일을 하려는 거야?' 이런 의문이 자꾸 들었다. 내가 그만한 거리를 제대로 견뎌낼 수 있을까? 만약 할 수 있다 하더라도 제대로 방법을 알고 있는 걸까? 내 머릿속에는 미국 대통령이었던 지미 카터의 모습이 계속 떠올랐다. 카터 씨는 장거리 달리기 후에 경호원 두 명의 부축을 받아 간신히 목표 지점에 질질 끌리듯 도착했다. 그것은 마라톤이 아니었다.

그러나 혼자 가만히 생각하자 그 일은 점점 더 안 좋은 쪽으로 생각되었다. 결승선에 기어들어오거나 모든 기운이 빠진 듯 완전히 탈진한 마라톤 주자의 고통스런 장면을 텔레비전에서 본 적이 있다. 그런 고통의 장면도 나를 불안하게 만들었다. 그리고 마라톤 벽에 대한 끔찍한 이야기들을 많이 들었다. 달리기 클럽에서도 그런 이야기를 하고 마라톤 전문서적에서도 그런 이야기를 읽을 수 있었다. 그저 제대로 갈 수만 있으면 다행이다라고 생각하고 있었다.

그렇지만 내 마음속에는 또 다른 목소리가 울리고 있었다. '모든 것이 잘될 거야. 긴장을 풀어. 너는 지금까지 이번 마라톤 대회를 위해 아주 잘 준비해왔어. 너는 네가 얼마나 힘들고 조심스럽게 훈련해왔는지 너무나 잘 알고 있잖아. 그러니 걱정하지 마. 배는 이미 항구를 떠난 거야!' 내 컨디션은 최고의 상태였다. 힘차게 달릴 수 있었다. 의욕도 넘쳐 있었고 도전 의식도 점점 커지고 있었다. 지금까지 부상으로 인한 고통도 없었고, 헤르베르트 슈테프니와 함께 대회를 준비하는 과정에서 그 어떤 나쁜 일도 생기지 않았다.

대회 전 내가 느꼈던 감정은 두려움이라기보다는 강한 도전 의식으로 인한 불안감이라고 할 수 있다. 그렇지만 해결해야 할 것이 있었다. 마라톤 대회에서 다른 주자들이 그들 나름대로의 이유로 성가시게 구는 것을 피할 수 있는 최소한의 방법을 알아내야만 했다. 많은 사람들이 나와 인사하려고 하고 옆에서 함께 달리며 자꾸 말을 붙이려고 할 것이다. 특히 달리는 중 나에게 말을 붙이는 것은 예전에도 그랬지만 지금도 가장 싫어하는 일이다. 헤르베르트 슈테프니는 마라톤 전 과정을 나와 같이 뛸 계획을 가지고 있었다. 그리고 프라이부르크 출신의 마라톤 경험이 있는 친구 두 명을 더 데리고 오려고 했다. 그 정도면 다른 사람들이 말을 거는 것을 피할 수 있을 것이다.

월요일에도 나는 10킬로미터를 58분 51초의 템포로 뛰었다. 화요일은 쉬고, 수요일에는 템포런 훈련을 하며 1000미터 3회 빨리 달리기를 포함해서 10킬로미터를 58분 53초에 달렸다. 목요일은 쉬고, 금요일과 토요일은 아주 편안한 상태로 30분 정도 달렸다. 함부르크 마라톤 대회는 봄에 독일에서 있는 가장 아름다운 대회 중의 하나로, 달리기를 즐기는 사람들에게 인식되고 있다. 단지 한 가지 변수는 날씨다. 함부르크 마라톤 대회는 매년 4월 하순에 열린다. 그런데 계절적인 영향으로 따뜻했다 추웠다 변화가 너무 심하다고 들었다. 급격한 날씨 변화는 주자들에게 문제를 일으킬 수 있다. 대부분의 참가자들은 서늘하거나 추운 날씨에서 마라톤을 준비해왔기 때문이다. 나는 속으로 계속 걱정이 되었다. 공포의 32킬로미터 지점에 대한 생각이 자꾸 났다.

1998년의 4월은 내내 추웠다(수요일 내 훈련일지에는 섭씨 9도로 적혀 있다). 나는 금요일에 함부르크로 향했다. 금요일과 토요일의 날씨는 4월의 전형적인 날씨로 변화가 심했다. 그런데 참 신기하게도 일요일에는 날씨가 따뜻한 봄날의 향기를 마음껏 풍겼다. 따스하게 내리쬐는 봄날의 햇빛이 엘베 강과 알스터 호숫가에서 1만여 명의 마라톤 참가자를 맞이했다. 대회 날 아침은 서늘하고 맑았다. 그러나 11시부터 아주 기분 좋을 정도로 따뜻했다. 나는 다시 그 저주스런 32킬로미터 이후 달리기에 대한 나쁜 경험을 생각하게 되었다. 나는 계속 조심해서 뛰리라 맹세했다. 중도에 포기하느니 천천히 뛰어 완주하는 것이 더 의미있다는 것이 내 신조였다.

그러나 나는 그 전에 또 다른 문제가 생겼었다. 목요일 저녁 이후로 몸의 어딘가가 아픈 듯했다. 다리가 약간 아프고 가벼운 열이 있어 컨디션이 좋지 않았다. 초조함 때문인지 감기인지 원인을 잘 몰랐으나 어쨌든 뭔가 문제가 있었다. 그러나 나는 어떠한 경우라도 대회에 참가해 뛰겠다고 결심하였다. 금요일에 가벼운 몸풀기 달리기를 하였다. 그리고는 회복을 위해 완전히 쉬었다. 체온은 더 올라가지 않았다. 비록 완전하게 회복된 것 같진 않았지만 토요일에는 다시 좋은 기분을 느낄 수 있었다. 그래서 나는 헤르베르트 슈테프니와 함께 가벼운 몸풀기 달리기를 계획했다. 대회 전날 저녁에 나는 야채와 바나나로 만든 오트밀과 우유를 준비했다. 이제 대회 전 마지막 밤의 준비는 다 끝났다.

다음 날 아침 7시, 나는 자명종 시계 소리에 깨어났다. 준비한 아침식사를 적당량 먹고 차를 한 잔 마셨다. 젖꼭지 부분에 반창고를 붙이고, 겨드랑이와 다리 사이 그리고 발에 바세린을 바르고 옷을 입었다. 다시 한 번 내 트레이너가 준비해준 리스트를 꼼꼼히 살폈다. 신발과 양말은 잘 준비되어 있고, 젖꼭지를 보호할 준비가 되었고, 바세린도 발랐고…… 그래, 준비는 다 되었다. 나는 밖으로 드러내지는 않았지만 약간 초조한 상태였다. 오늘은 특히 중요하다. 그러나 그날은 부담감에서 벗어나 최상의 컨디션을 찾는 것이 무엇보다도 중요했다. 8시 30분경 헤르베르트 슈테프니는 그의 가족들과 함께 나를 데리고 갔다. 전자 칩과 배 번호—내 번호는 50번이었다—를 받아 옷과 신발에 달았다. 스타트겸 결승라인 근처에서 우리는 짧은 시간 예정에 없던 언론사 인터뷰를 하고 사진을 찍었다. 그 이후 워밍업을 위한 달리기를 했다. 출발 10분 전에 우리는 출발선을 찾아갔다. 참가자들로부터 많은 질문과 인사를 받았다.

그리고 10시 정각에 출발했다. 긴 항해를 시작한 것이다. 남성 참가자와 여성 참가자, 두 개의 커다란 무리가 함부르크의 번화가 쪽으로 움직였다. 그리고는 넓은 지역이 보이더니 다시 텅 빈 시내 번화가를 지나 서쪽으로 향했다. 알토나와 오텐젠을 지나 오트마르센 쪽으로 향했다. 그리고 나서는 약 6킬로미터 지점에서 처음으로 방향이 바뀌었다. 그때까지 우리는 잘 만들어진 엘프쇼제 길을 지나 동쪽으로 정반대 방향인 함부르크 센터 쪽으로 달렸다.

함부르크 서쪽 지역의 분위기는 정말 황홀했다. 지역 주민들이 멋있는 풍경을 배경으로 캠핑 의자에 앉아 샴페인을 곁들인 아침 식사를 하고 있었다. 그러면서 숨가쁘게 달려가고 있는 주자들에게 손을 흔들며 즐겁게 응원을 하고 있었다. 오텐젠에서는 멋있는 밴드가 연주를 하고 있었다. 많은 시민들이 이른 아침 시간인데도 길거리에 나와 연주를 즐기며 우리를 열렬히 환호해 주었다. 마라톤 코스는 성 파울리 다리로 이어져, 남쪽으로는 엘베 강을 따라 커다란 아치형을 그렸고, 동쪽으로는 구시가지를 빙 돌아 전철 옆 긴 지하도를 관통해서 중앙역, 내 알스터 호수와 외 알스터 호수를 지나 밤벡으로 향하는 울렌호르스트에서 머나먼 함부르크 북쪽으로 이어졌다.

첫 번째 마라톤에서는 주변 분위기를 그리 즐기지 못했다. 완전히 달리기에만 몰두해 있었기 때문이다. 그렇지만 도시 각 지역마다의 뚜렷한 차이와 길거리에 있던 관중들의 응원은 아주 인상적이었다. 사실 함부르크는 그때까지만 해도 나에게는 낯선 도시였다. 그러나 이 도시에서 마라톤을 하고 나서부터는 나에게 여느 곳과 다른 믿음을 주는 정열적인 도시로 인식되었다. 한 도시를 관통하는 마라톤 대회는 진정한 단어적 의미에서 달리면서 낯선 도시를 알 수 있는 좋은 여행이다.

밤벡에서도 분위기가 상당히 좋았다. 하늘은 황홀할 정도로 푸르렀고, 햇빛은 따스하게 내리쬐고, 함부르크 시민들은 모두 일어서서 주자들이 힘을 내도록 응원을 아끼지 않았다. 그리고 우리가 도시 중심부에 들어섰을 때 길 양편에 늘어선 사람들이 뜨

1998년 4월 19일 함부르크 마라톤 대회에서 헤르베르트 슈테프니(오른쪽)와 함께

겁게 열광하고 있었다. 분위기가 뜨거웠다. 그곳에서 나도 모르게 템포를 올리고 있었다. 옆에 있던 슈테프니가 심박을 분당 132에서 135회로 유지하라고 나에게 충고해주었다. 나는 심박기가 140 이상을 가리키며 템포가 빨라지는 것을 알 수 있었다. 그러나 육체적으로는 그것을 전혀 느끼지 못했다. 아드레날린이 작용하고 있는 것이었다. 그래서 나는 발데마르 치에르핀스키가 말한 훈련을 생각해야만 했다. 마라톤은 자신이 훈련한 정도만큼만 뛸 수 있는 것이다. 너무 흥분하면 안 되었다.

지칠 줄 모르는 내 동반자이자 트레이너는 그것을 염려하고 있었다. 그래서 그는 1킬로미터당 시간을 엄격히 통제해주었고 물, 콜라, 식염이 섞인 음료를 나에게 규칙적으로 공급해주었다. 그렇지 않을 때는 나에게 끊임없이 말을 걸려고 하는 다른 주자들과 대화를 나눠주었다. 많은 사람들이 나에게 달려와 말을 걸었다. 그런 것들로 인해 나는 약간 불안하고 초조해졌다. 나는 방해를 받으며 달려가는 것이 두려웠기 때문이다. 아주 잘난 체하는 어떤 사람이 마라톤 대회 내내 나의 바로 앞에서 왔다갔다했다. 어떤 때는 뒤로 뛰면서 나에게 무조건 말을 걸곤 했다.

나는 그 사람과 부딪치지 않으려고 노력하다 보니 피곤했다. 그러는 사이 상황이 이미 약간 힘들게 되었다. 달리는 거리가 늘어나면 날수록 같이 뛰던 사람들이 조용해지고 말이 적어져갔다. 그렇지만 나는 계속해서 괴롭힘을 당했다. 많은 주자들이 나와 함께 뛰고자 했다. 그렇지만 내가 뛰는 것을 방해하지 않거나 말을 걸려고 하지 않는 한 나는 개의치 않았다. 그런데 옆에서 같이 뛰고자 했던 사람들은 거의 모든 경우 팔다리를 크게 휘저으며 말을 걸어와 나의 진행을 방해했다.

밤벡은 이미 하프 코스 마라톤 거리보다 더 먼 거리에 있다. 이제 거리감이 느껴지기 시작했다. 같은 거리라도 점점 길게 느껴졌다. 매1킬로미터가 이전보다 훨씬 더 멀게 느껴졌다. 응원하는 사람들도 더 적어졌다. 그렇지만 아직 30킬로미터 지점에는 도착하지 못했다. 다리가 약간 무거워지는 것 같았다. 그렇지만 여전히 힘차게 달릴 수 있었다. 차분한 리듬을 유지하면서 아직 지치지 않았던 것이다. 단지 풀코스의 남은 21킬로미터를 달리면서는 고독감이 느껴지기 시작했다. 그때 27킬로미터지점인가 28킬로미터 지점인가—우리는 도시의 북쪽 지역을 통과하고 있었다—나는 내 뒤에서 독일의 유명한 ≪불바르 신문≫ 기자가 뛰면서 뭔가 말하는 소리를 들었다. 그는 편집국에 핸드폰으로 약간 실망스런 목소리로 기사를 보내고 있었다. "아니오, 그는 아직도 자신의 템포로 침착하게 뛰고 있습니다. 그는 안전하게 결승점에 도착할 것 같은데요." 그 말을 듣자 나의 머리에 뭔가 예민한 물질이 들어오는 느낌이었다.

≪불바르 신문≫의 젊은 기자는 이미 출발할 때부터 이 지점에 이르렀을 때의 나의 상황을 상상했던 것이다. 그 기자 자신도 마라톤을 2시간 45분 정도에 뛰는 아마추어 마라토너였다. 남부 독일에 있는 그 신문사는 그를 보내 나의 마라톤 레이스 동행 취재를 시켰던 것이다. 나는 그것에 대해 아무것도 모르고 있었다. 마라톤 대회에 누가 뛰던 그것이야 사람들 자유니까. 나는 그에게 내가 뛰는 동안에 침묵을 지킬 수 있게 배려해달라고 청했다. 하지만 나는 그가 자신의 의지대로 할 수 있을 것이라 확신하지는 못했다. 시시때때로 그의 핸드폰이 울렸다. 그러면 그는 편집국에 보고해야만 했다. 나는 마치 내 뒤에서 먹이를 쪼는 독수리에게 세금을 상납하는 듯한 느낌에서 벗어날 수 없었다. 나는 진짜 그를 두들겨 패주고 싶은 생각도 들었다. 물론 그런 일은 일어나지 않았지만. 달리는 거리가 늘어날수록 나와 함께 뛰면서 취재하던 그 기자는 나의 육체적 상태에 관심을 가졌다. 어쩌면 그는 내가 경쟁적으로 치고 나가는 것을 막아주는 부가적인 안전판이 되기도 했다. 어쨌든 그 젊은 기자는 우리 그룹에서 같이 뛰었고 나는 그런 점에서 그에게 감사한다.

에펜도르프에서 나는 내 생애 처음으로 그 엄청난 36킬로미터 지점에 도달했다. 우리는 이미 오래 전에 남쪽 코스를 지나 결승점 방향으로 뛰고 있었다. 그곳에서 슈테프니가 예언한 그대로의 현상이 나타났다. "만약 당신이 충분히 준비를 하였고 당신의 템포대로 달리고 있다 하더라도 이제 조금씩 느려지고 피곤해질 것이다." 그렇지만 갑자기 몸을 주저앉게 만드는 마라톤 벽을 느끼지는 않았다. 에펜도르프에서 우리는 커다란 대중축제 분위기에 휩싸였다. 많은 사람들이 빽빽하게 밀집해 있어 우리는 그저 2미터 정도의 인간터널을 지나갈 수 있었다. 이런 분위기는 나의 발걸음을 가볍게 해주었다. 피로는 많이 쌓였지만 더 잘 뛸 수 있게 되었다. 여기서도 몸을 질질 끌지 않다니 놀라운 일이었다. 나는 모든 신경을 주법에만 집중했다. 그래서 나는 환호와 응원소리를 제대로 듣지 못했다.

그렇게 시간이 지나자 우리는 갑자기 다시 외 알스터 호수에 도착했다. 이번에는 호수의 서쪽이었다. 그것은 여기서 결승점이 멀지 않다는 것을 의미하였다. 그리고 나서 우리는 오른쪽으로 돌아 담토어 전철역으로 갔다. 이 코스는 가벼운 언덕이었다. 우리는 역을 지나 다시 한 번 왼쪽으로 꺾어 카롤리넨가로 접어들었다. 그러자 결승점에 도착하게 되었다. 전자시계엔 42.195킬로

1998년 4월 19일 함부르크 마라톤 대회

미터와 넷타임 3시간 41분 36초가 표시되었다. 결승점에 도달한 10,134명 중 나는 4,179위였다. 비교적 좋은 기록이었다.

결승점을 통과한 후 육체적으로도 아주 좋은 상태였다. 기록으로만 본다고 해도 아주 좋은 레이스였다. 그러나 여러 우려를 잠재울 수 있었다는 이유에서 더 훌륭한 레이스였다. 중간에 쓰러지거나 고통을 당하지 않고 오히려 끝나고도 걸어다닐 수 있는 상태인데다가 훌륭한 기록으로 마라톤을 끝냈던 것이다. 그게 바로 내가 계획했던 것이었다. 그리고 나는 정확하게 그렇게 결승점을 통과한 것이다.

달리기 자체만으로도 개인적으로는 커다란 체험이었다. 아마 내가 후에 인생을 반추해볼 시간이 있다면 이때가 자주 생각날 것이다. 결승점에는 사진기자들이 쭉 둘러서서 나를 기다리고 있었다. 나는 그 사이를 뚫고 지나갈 수 없었다. 우리는 상당히 당황한 상태로 잠시 멈춰 있을 수밖에 없었다. 조용히 달리기를 끝내는 것이 불가능했다. 나는 다리를 풀어주어야만 했다. 앞으로도 계속 달려야 하기 때문이다. 그래서 우선 선 채로 다리를 흔들흔들 풀어주었다. 조금 후에 엄청난 피로가 몰려왔다. 그리고 시간이 조금 지나자 배고픔이 밀려왔다. 그러나 그 외에는 아주 좋은 상태였다. 마라톤을 한 후 몇 일 지나서나 몇 주 지나서도 별

다른 이상이 없었다.

그렇게 나는 나의 첫 번째 마라톤을 해낸 것이다. 1996년 여름 내 개인적인 위기를 겪은 지 1년 9개월 만에 그리고 나의 50년 생애에 도달하는 시기에 나의 첫 번째 마라톤을 성공적으로 끝마친 것이다. 나는 2년 전의 불행했던 8월을 다시 생각했다. 살빼기에서 출발해 마라톤을 완주하다니! 모든 것이 살빼기를 생각하면서 시작됐다.

그런데 그 결과는 엄청난 것이었다. 완전히 다른 계획, 완전히 다른 생활 습관, 다른 목표, 다른 생활의 우선 순위, 그리고 흔들림 없는 훈련과 많은 인내, 그리고 계속할 수 있는 끈기, 이 모든 것들이 한 개인의 완전한 변화, 완전한 개혁을 이루어냈다. 직업적으로 느끼는 부담과 스트레스, 즉 내 삶의 전체적인 환경은 변화된 것이 없다. 그럼에도 불구하고 나는 살빼기에 성공했을 뿐 아니라 마라톤 완주라는 엄청난 일을 그렇게 짧은 시간에 해냈던 것이다.

자신을 향한 달리기

이제 달리기는 그 자체가 목적이 되었다. 육체와 운동, 노력과 내적인 평온, 나는 이런 매일의 체험을 절대로 놓치고 싶지 않았고 앞으로도 그러할 것이다. 배가 불룩하고 엄청난 몸무게를 짊어지고 맛있는 것만 찾아다녔던 나의 과거 삶은 이제 영원히 사라졌다.

가끔 나의 옛날 사진이나 비디오를 볼 때 나는 이렇게 생각한다.

세상에, 너 어떻게 저러고 살았니?

마라톤을 완주함으로써 나의 마지막 목표를 이루었다. 나는 상당히 지쳐 있었지만 행복했고 동시에 자랑스러웠다. 50년 인생 경험으로 보면 목표를 향해 달려가고 있는 시간이 가장 아름다운 시간이다. 왜냐하면 목표에 도달하고 난 후엔 바로 그 다음에 대한 의문이 시작되기 때문이다. 함부르크에서의 성공으로 나는 나의 마지막 목표이며 달리기 생활의 가장 큰 목표를 이루었다. 그러나 동시에 나를 이끌어줄 동기가 사라지면서 슬럼프에 빠지게 되었다. 이제 더 무엇을 하지? 다음에 무엇을 계획해야 하지? 시간이 흐르면 무슨 방도가 생기겠지. 그렇지만 마음은 급했고 이 문제에 대한 답을 찾으려고 하였으나 어떤 단초도 발견하지 못했다.

함부르크 마라톤 대회 이후 일주일 동안 달리기를 완전히 쉬었다. 10여 일 지난 후부터 나는 편안한 페이스로 10킬로미터 조깅을 하였다. 그리고 그 주 마지막쯤에 빠르게 뛰었다 천천히 뛰었다 하는 훈련을 교대로 하면서 달렸다. 나는 10킬로미터 이상 달리는 날은 거의 없다. 일주일에 규칙적으로 5,6회 매번 10킬로미터 정도 달린다. 먹는 것과 생활 패턴도 예전과 같이 유지했다. 나는 어떻게든 이런 생활 모습과 나의 외모를 유지하고자 했다.

많은 상황들이 근본적으로 변화하였다. 매일 하는 달리기는 나

1998년 6월 슈투트가르트 하프 마라톤 대회

에게 살빼기라는 특정한 목표를 이루기 위한 단지 수단에 불과했었다. 이 목표는 훌륭하게 달성했다. 너무나 멋지게 성공했다. 그러나 그 과정에서 목적-수단의 관계는 완전히 바뀌었다. 이제 달리기 자체가 목적이 되었다. 달리기는 목적이 되기에 충분했다. 육체와 운동, 노력과 내적인 평온. 나는 이런 매일의 체험을 절대로 놓치고 싶지 않았고 앞으로도 그러할 것이다. 마라톤을 완주함으로써 내적인 개조 작업은 끝났다. 나는 이것을 분명하게 느끼고 있다. 이제 나는 새로운 나의 생활 패턴을 발견했고, 요요효과를 완전히 극복했으며, 앞으로도 계속 달리기를 할 것이라고 확신하고 있다. 내가 단지 선거운동용 이벤트로만 마라톤을 한다고 의심하는 사람들이 있다는 것도 알고 있다.

나는 그런 생각을 하는 사람들을 바보들이라고 생각한다. 나는 지난 여러 달 동안 모든 것을 훈련을 위해서만 쓰지 않았다. 길위에서 흘린 수많은 땀과 시간만큼은 선거운동용이 아니었다. 그럼 무엇을 위해서였던가? 나는 생각했다. 나는 단지 나 자신을 위해 달렸을 뿐이다. 사람들이 말하고 싶은 대로 말하도록 내버려둬라. 나는 달리기에서 이제 더 이상의 새로운 목표를 필요로하지 않는다. 왜냐하면 나는 이제 나 자신을 찾았기 때문이다. 그러므로 내 결심은 확고하다. 나는 계속 달릴 것이다!

수많은 다른 아마추어 마라토너들처럼 나도 나 자신을 이기기 위해 마라톤을 시작했다. 어떤 기록을 내기 위해서나 경쟁자를 이기기 위한 것이 아니었다. 물론 엘리트 프로 선수들은 최고 기록과 상대방을 이기기 위해 경쟁하고 승리와 순위를 위해 달린다. 그러나 이것은 무수한 아마추어 마라토너들에게는 적용되지 않는다. 이들은 한 도시에서 열리는 마라톤의 대중적 매력을 함께 만들어가는 사람들이다. 종종 1만 명 이상의 아마추어 마라토너들은 자신을 위해 또는 자신을 이기기 위해 달린다. 그리고 그들 중 많은 사람들이 항상 그렇게 실천하고 있다. 아마추어 마라토너들이 개인적으로 얻는 것은 거리 이상으로 계산될 수 있을 것이다. 왜냐하면 42.195킬로미터라는 거리를 달려서 완주한다는 것은 자기 자신을 극복하여 성취한 커다란 업적이기 때문이다.

그럼에도 불구하고 자유 시간을 이용한다는 관점에서 보면 경쟁과 훈련 사이에는 중요한 질적인 차이가 있어 보인다. 이 경우 훈련의 개념에 대해 혼란이 있을 수 있다. 일반적으로 나를 위해 달리기를 하는 것과 경쟁을 위해 달리기를 하는 것 사이에는 차이가 있다. 경쟁도 아름답고 필요하다. 그러나 내가 달리는 진정한 이유는 홀로 달리고 있는 나 자신에 있다. 이미 말했듯이 다른 사람이 동행하더라도 나를 방해하지 않는다면 아무 상관없다. 나는 달리기를 하면서 특이하고 호기심을 유발하는 괴짜들을 많이 만났다. 이들 모두는 무한한 것을 바라보는 눈을 가지고 있었다. 라인 강변에서 만난 어떤 사람이 나에게 말을 걸었다. 그는 나를 모르고 있었다. 우리는 같은 방향으로 수 킬로미터 같이 달렸다. 우연히 만난 그 동반자는 자신에 대해 이야기하고 황무지에서의 달리기 등 마라톤에 대한 여러 이야기를 늘어놓았다. 그는 자신의 독백에 의외로 내가 관심을 보이자 긴장하기 시작했다.

그는 내게 직설적으로 물어왔다. "당신은 달리기를 하면서 당신 자신의 부처를 만난 적이 있습니까?" 나는 그 질문을 받고 처음에는 상당히 어리둥절했다. 그리고 나서는 내가 달리기를 즐기면서 이미 비기독교적인 관념을 가지고 있다는 것을 알게 되었고 그 점에 대해 놀라게 되었다. 그렇지만 그것은 나의 호기심을 일깨웠다. 그 괴짜가 나에게 나 자신의 부처에 대해 말하면서 무엇을 말하고자 하였는가? 그는 자신의 부처를 만나기 위해 달리고 있다고 나에게 말했다. 그것도 아주 오래 전부터. 그리고는 내가 얼빠진 대답으로 그를 비판할 시간도 주지 않고 사라져버렸다.

독자 여러분 걱정하지 마십시오. 라인 강변의 이런 우스운 기인들이 있다 하더라도 달리기가 어떤 이교도적인 것과 관련되어 있는 것은 아니니까. 달리기를 하는 사람 중에서 힌두교 승려 같은 인상을 주는 사람들을 많이 본다. 나는 지금까지 실제로 러너스 하이(달리기 중 무아지경의 상태같이 마음의 평온을 느끼는 것 : 옮긴이)나 달리는 부처(러너스 하이와 비슷한 경험으로 마음의 평온 상태가 무아지경이라 느끼며 수양으로서 달리기를 하는 사람 또는 상태 : 옮긴이)를 경험하거나 만난 적이 없다. 하지만 내가 비록 이런 경험을 할 수 있을지 확신할 수는 없지만 나도 그런 체험을 할 수 있을지도 모르는 일이다. 어쨌든 달리기는 강한 정신 집중을 할 수 있게 해준다. 그리고 이런 경험은 나도 때때로 경험해 보았다. 이것은 육체적인 건강 외에도 달리기를 하는 가장 중요한 이유가 된다. 달리기를 즐기는 사람들은 크게 두 가지 유형이 있다. 하나는 접촉과 대화를 즐기는 사교형이고, 다른 하나는 고독과 평온함과 명상을 즐기는 유형이다. 사실 나는 후자에 속하는 사람이다.

1998년은 나를 혼자 있게 내버려두지 않았다. 나는 많은 주의회 선거전과 연방의회 선거전 때문에 각 연방주를 돌며 유세하는 한 달 동안의 정치적인 마라톤을 해야만 했다. 6월 14일에 나는 함부르크 마라톤 대회 이후 별다른 준비 없이 슈투트가르트에서 열린 한 하프 마라톤 대회에 나갔다. 그리고는 바로 바이에른 주

1998년 바이에른 주 선거전 중 비에 흠뻑 젖은 채 달리는 모습

의회 선거유세에 참가했다. 2주간의 휴가와 크레테에서의 달리기로 잠시 휴식은 취했지만 나는 완전히 선거유세전에 묻혀 있었다. 8월 10일의 나의 훈련일지에는 다음과 같이 적혀 있다. 아헨 지방, 3개 주를 돌아다님, 덥고 힘들었음, 산악지형, 템포러닝, 섭씨 35도, 11킬로미터, 56분 49초. 사실이다. 그때는 정말 무덥다 못해 뜨거운 오후였다. 출발선에 50명에서 60명의 러너들이 서 있었다. 출발선부터 오르막이었다. 들판이 매우 빨리 지나갔다. 달리기 템포는 두 명의 젊은 여성이 이끌었다. 이 여성들은 놀라운 방법으로 뛰고 있었다. 거의 힘을 들이지 않고 뛰는 것이었다. 코스에는 언덕이 많았다. 기온은 무자비하게 높았고 템포는 매우 빨랐다. 나중에 알게 된 사실이지만 이 두 여성은 울트라마라톤(42.195킬로미터보다 더 긴 코스를 달리는 마라톤으로, 거리와 시간을 기준으로 하는 두 가지 규칙이 있다 : 옮긴이)을 하는 사람들이었다. 다음 날, 뒤셀도르프는 낮 기온이 37도나 되는 뜨거운 날씨였고, 빌레펠트는 35도였다. 또한 토이토부르크 숲의 언덕 때문에 정말 힘들었다. 나는 매일 나의 템포를 억지로 유지해야만 했다. 매번 다른 주의회 선거 때문에 사람이 항상 바뀌었고, 이들은 매번 나의 템포를 알고 싶어했기 때문이다. 명상이라는 것은 상상도 할 수 없는 상태였다.

1998년 뒤셀도르프의 카이저스베르크에서 연방의회 선거전 중 리포터와 함께

예나의 케른베르크 앞에서

선거전의 끝 무렵, 나는 단지 정치적인 이유에서뿐 아니라 모든 지방에서 뛰어보고 싶어 독일의 모든 주를 다 훑었다. 8월 15일 토요일, 나는 고독한 러너스 하이를 경험했다. 예나에서였다. 때는 무더운 이른 오후였다. 기온은 28도였고 예나의 케른베르크라는 산을 가로질러 약 13킬로미터를 뛰는 것이었다. 예나는 잘레의 계곡에 위치해 있다. 그곳은 석회암 벽으로 깊게 파여 있는 곳이었다. 이 가파른 언덕을 사람들은 "케른베르크(Kernberg, 번역하면 '진짜 산' 이라고 할 수 있음 : 옮긴이)"라고 불렀다.

우리는 30여 명의 주자와 함께 들판에서 출발했다. 1킬로미터쯤 지나자 숲길을 따라 가파른 언덕이 시작되었다. 케른베르크의 중간까지 계속 이어지는 언덕이었다. 템포는 처음부터 상당히 빨랐다. 그런데 첫 번째 긴 언덕에서 이미 상당수가 이 템포를 지키지 못했다. 우리가 상당히 빠른 템포로 좁은 산길을 따라 이 계곡의 중간 정도 높이까지 수 킬로미터 오르고 있을 때 석회암이 여름 햇빛에 불을 뿜고 있었다. 약 7킬로미터 달린 후에 두 번째 언덕이 나타났다. 그곳에서 많은 사람들이 지쳐 떨어져 나갔다. 꼭대기에 도착했을 때는 우리 달리기 그룹은 전부 여섯 명에 불과했다. 한 젊은 남자가 정상에서도 계속해서 템포를 유지하고 있었다. 13킬로미터의 달리기가 끝날 때 단 세 명만 남아 있었다.

1시간 11분 24초 만에 목표 지점에 도착했다.

함께 달리던 사람들은 완전히 흩어졌다. 그들은 각각의 작은 그룹으로 나뉘어져 있었고, 각각의 그룹은 상당한 시간차를 두고 도착했다. 예나는 이번 달리기 유세전에서 가장 힘든 곳이었다. 예나의 케른베르크, 선거유세, 매우 가파르고 힘들었음, 형식은 뛰어났음. 나의 훈련일지에는 이렇게 적혀 있다. 그리고 요즘도 자주 이곳에서 달리는 꿈을 꾸곤 한다. 이 곳에서의 달리기는 나의 첫 번째 마라톤보다 더 강한 인상을 나에게 남겼다.

연방선거가 끝나고 나서 나의 생활은 많은 부분 변하게 되었다. 그러나 달리기는 변함이 없었다. 사람들이 의지를 가지고 있다면 달릴 수 있는 시간은 항상 찾을 수 있다. 아무리 빡빡한 일정이라도 또 독일 외무장관이라는 엄청난 스트레스에도 하루 중 낮이나 밤중에도 짬을 내서 규칙적으로 10킬로미터 정도 달리기를 할 수 있는 여유는 있다. 나는 종종 한밤중에도 밖으로 나가고 싶은 충동을 느낀다. 때때로 자정에도 달리러 나간다. 특히 겨울철에는 어두울 때 달리기를 하는 것이 예외적인 상황이 아니라 일반적인 상황이 된다. 또한 달리기 코스는 세계 어디에나 반드시 있게 마련이다. 워싱턴, 뉴욕, 리우, 예루살렘, 다카, 런던, 베이루트, 로마, 라플란드 등 모든 지역에서 달릴 수 있다.

미국 국회의사당 앞에서

그럼에도 불구하고 나는 항상 크레테에 마음이 간다. 1996년 여름, 아주 심한 개인적인 불행 속에서 모든 것이 시작된 곳이어서 그곳은 지금까지 아름다운 달리기 코스가 있는 가장 좋은 곳으로 기억되고 있다. 더위와 먼지, 언덕, 그리고 토스카나의 잊을 수 없는 불빛들. 이 모든 것들이 항상 나를 다시 잡아당긴다. 나는 이번 여름에 토레아 카스텔로에서 아스치아노로 갔다가 돌아오는 24킬로미터의 지옥과 같은 코스를 달렸다. 그 중 13킬로미터는 언덕이 심하게 오르내렸다. 내 훈련일지에는 2시간 23분 13초, 극도로 어려웠음이라고 적혀 있다. 토레아 카스텔로에서 아스치아노까지의 코스는 12킬로미터 정도 되고 오르막이 많아서 원래 힘든 곳이다. 그래서 평지보다 2분 정도는 더 걸린다. 나는 이 코스를 작년에 가슴을 쿵당거리며 한 번 뛰었지만 올 여름 휴가 때는 전체 24킬로미터를 뛴 것 외에도 다섯 번이나 더 뛰었다. 그리고 20킬로미터나 떨어진 크레테의 가파른 언덕 위에 있는 친구의 집을 뛰어서 방문했다.

배가 불룩하고 엄청난 몸무게를 짊어지고 맛있는 것만 찾아다녔던 나의 과거 삶은 이제 영원히 사라졌다. 가끔 나의 옛날 사진이나 비디오를 볼 때 나는 이렇게 생각한다. '세상에, 너 어떻게 저러고 살았니?' 나는 당시 이미 자신을 포기하고 있었다. 그렇기에 나의 완전한 개혁을 위해 엄청난 노력과 강한 의지가 필요했다. 그러나 몸무게와 외모의 변화는 내가 생각했던 것보다는 훨씬 더 빨리 왔다. 이 모든 엄청난 변화를 가져올 수 있게 만든 가장 다행스런 결정은 내가 달리기를 하기로 결심했다는 것이다. 달리기를 하면서 자신의 부처를 찾겠다는 그 달리기 괴짜는 아마 이런 말을 할 것이다. "그래, 달려!" 모든 사람들은 첫발을 내딛을 준비는 되어 있다. 자, 그렇다면 두 발짝, 세 발짝 계속해서 발을 내딛어 달리기 시작하라.

요쉬카 피셔의 함부르크 마라톤을 위한 트레이닝 계획

(DL=지속주 ➡=템포런 ⊙=짧은 인터벌 트레이닝 *=장거리 지속주)

1주차 : 1998.1.26 ~2.1(64km)

	훈련 내용	심박수	속도(시간/km)	비고
월요일	—			
화요일	지속주(DL) 60분	120	5:30	
수요일	지속주(DL) 60분	120	5:30	
목요일	➡ *경쾌한 지속주(6km 4:45)*	140까지	6:00-4:45	전체 거리는 11km, 6km는 4:50 속도 이내로
금요일	조깅 40분	110-115	6:00	
토요일	축구			
일요일	* *장거리 지속주 25km*	115	5:30-6:00	정말로 편안하게!

2주차 : 1998.2.2~8(65km)

	훈련 내용	심박수	속도(시간/km)	비고
월요일	—			
화요일	⊙ *3x1000m 4:20*	약 145	6:00-4:20	운동장, 400m 휴식달리기, 빠르게 전력 질주
수요일	조깅 40분	110-120	5:30-6:00	
목요일	휴식 겸한 지속주(DL) 90분	120	5:30	
금요일	➡ *경쾌한 지속주(7km 5:00)*	135까지	6:00-5:00	7km 경쾌하게 달린 후 완만한 속도로 달리기
토요일	축구			
일요일	* *장거리 지속주 20km*	115	5:30-6:00	정말로 편안하게!

3주차 : 1998.2.9~15(69km)

	훈련 내용	심박수	속도(시간/km)	비고
월요일	—			
화요일	⊙ *1-2-3-2-1km 4:45*	140까지	6:00-4:45	운동장? 총총걸음으로 휴식 취하기 30분간
수요일	조깅 40분	110-120	5:30-6:00	
목요일	지속주(DL) 90분	120	5:30	
금요일	➡*경쾌한 지속주(7km 5:00)*	135까지	6:00-5:00	7km 경쾌하게 달린 후 완만한 속도로 달리기
토요일	축구			
일요일	*∗장거리 지속주 27km*	110-120	5:30-6:00	정말로 편안하게!

4주차 : 1998.2.16~22(64km)

	훈련 내용	심박수	속도(시간/km)	비고
월요일	—			
화요일	⊙*5x1000m 4:20*	145 이상	6:00-4:20	운동장, 400m 휴식 달리기(6:00 속도로)
수요일	조깅 40분	110-120	5:30-6:00	
목요일	지속주(DL) 70분	120	5:30	절대 이 속도보다 빠르지 않게!
금요일	➡*경쾌한 지속주(8km 5:00)*	135까지	6:00-5:15	8km 경쾌하게 달린 후 완만한 속도로 달리기
토요일	축구			
일요일	*∗장거리 지속주 22km*	115	5:30-6:00	정말로 편안하게!

5주차 : 1998.2.23~3.1(57km)

	훈련 내용	심박수	속도(시간/Km)	비고
월요일	—			
화요일	⊙*4x2000m 9:30*	140 까지	6:00-4:45	5분 걷기/휴식 달리기 (6:00 속도로)
수요일	조깅 60분	110-120	5:30-6:00	
목요일	—			
금요일	조깅 40분	110-120	5:30-6:00	
토요일	축구하지 말 것!			
일요일	➡ * *하프 마라톤(목표1시간 40분)*	약 140	4:45	10킬로미터까지 오버페이스 조심!

6주차 : 1998.3.2~8(58KM)

	훈련 내용	심박수	속도(시간/km)	비고
월요일	—			
화요일	조깅 60분	110-120	5:30-6:00	회복을 위해 정말 천천히!
수요일	—			
목요일	지속주(DL) 70분	120	5:30	
금요일	조깅 40분	110-120	5:30-6:00	
토요일	축구			
일요일	* *장거리 지속주 27KM*	115	5:30-6:00	정말로 편안하게!

7주차 : 1998.3.9~15(67km)

	훈련 내용	심박수	속도(시간/km)	비고
월요일	—			
화요일	⊙ *5x1000m 4:20*	145이상	6:00-4:20	운동장, 휴식 달리기 400m(6:00 속도로)
수요일	지속주(DL) 70분	120	5:30	
목요일	—			
금요일	➡ *경쾌한 지속주(8km 5:15)*	115-130	6:00-5:15	8km 경쾌하게 달린 후 완만한 속도로 달리기
토요일	축구(부드럽게!)			
일요일	* *장거리 지속주 30km*	115	5:30-6:00	정말로 편안하게!

8주차 : 1998.3.16~22(67km)

	훈련 내용	심박수	속도(시간/km)	비고
월요일	—			
화요일	조깅 40분	110-120	5:30-6:00	
수요일	가볍게 변화를 주며60분	110-140	6:00-4:20	빠르게 달리는 것은 짧게!
목요일	지속주(DL) 60분	120	5:30	
금요일	➡ *경쾌한 지속주(10km 5:15)*	115-130	6:00-5:15	2km 웜업 달리기 후 10km 경쾌하게 달리기
토요일	축구			
일요일	* *장거리 지속주 23km*	115	5:30-6:00	정말로 편안하게!

9주차 : 1998.3.23~29(75km)

	훈련 내용	심박수	속도(시간/km)	비고
월요일	—			
화요일	⊙ *3x1000m 4:20*	145이상	6:00-4:20	운동장, 해왔던 대로 할 것
수요일	조깅40분	110-120	5:30-6:00	
목요일	➡*3x3000m 14:30(마라톤 속도)*	135-140	6:00-4:50	이보다 빠르지 않게, 중간에 7분간 걷기/휴식 달리기
금요일	지속주(DL) 60분	120	5:30	
토요일	축구(격하지 않게!)			
일요일	➡*장거리 지속주 32km*	115	5:30-6:00	정말로 편안하게!

10주차 : 1998.3.30~4.5(70km)

	훈련 내용	심박수	속도(시간/km)	비고
월요일	—			
화요일	조깅 40분	110-120	5:30-6:00	
수요일	지속주(DL) 60분	120	5:30	
목요일	➡*경쾌한 지속주(12km 5:15)*	115-130	6:00-5:15	2km 웜업 달리기 후 12km 경쾌하게 달리기
금요일	조깅 40분	110-120	5:30-6:00	
토요일	축구(격하지 않게!)			
일요일	➡ *＊장거리 지속주 30km(점점 빠르게)*	110-140	6:00-4:50	5k(5:50) 15k(5:30) 5k(5:10) 3k(4:50) 2k(6:00)

11주차 : 1998.4.6~12(50km)

	훈련 내용	심박수	속도(시간/km)	비고
월요일	—			
화요일	조깅40분	110-120	5:30-6:00	
수요일	—			
목요일	➡ *3x5000m 25:00(마라톤 속도)*	135	6:00-5:00	마지막 테스트, 가장 중요한 것:오버페이스하지 말 것
금요일	—			
토요일	(축구, 아주 주의해서 조심스럽게!)			
일요일	* *장거리 지속주 32km*	115	5:30-6:00	정말로 편안하게!(50세 생일을 축하합니다)

12주차 : 1998.4.3~19(77km-마라톤을 포함해서)

	훈련 내용	심박수	속도(시간/km)	비고
월요일	—			
화요일	지속주(DL) 60분	120	5:30	
수요일	⊙ *3x1000m 5:00*	135	6:00-5:00	다시 한 번 편안한 마라톤 템포를 연습할 것!
목요일	조깅 40분	110-120	5:30-6:00	
금요일	함부르크로 출발			
토요일	조깅 30분			
일요일	➡ * *함부르크 마라톤*	약 135?	5:00?	시작부터 같은 페이스로! 날씨에 따라서는 3시간 30분도 가능

| 달리기를 처음 시작하는 사람들에게 |

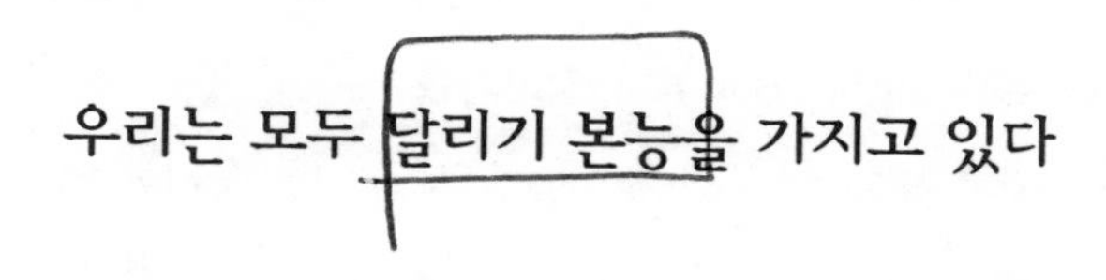

우리는 모두 달리기 본능을 가지고 있다

■

헤르베르트 슈테프니

요쉬카 피셔는 비만한 사람들과 나이 든 사람들에게 용기를 주었습니다.
인생은 40살 이후에도 계속됩니다.
그는 올림픽에서 우승하는 것보다 더 강한 의지력을 가지고
'정신과 육체가 하나로 되는 자아여행' 을 시도하여 112킬로그램의 엄청난 비만 상태에서
50살에 마라톤을 완주하는 몸 상태로 바꾸었습니다. 그러한 그의 정신력은
많은 사람들에게 큰 감동과 '나도 할 수 있다' 는 생각을 심어주었습니다.

독자 여러분, 당신은 태어난 지 약 일년 만에 당신의 인생에선 처음으로 두 다리에 가해지는 중력을 이겨내고 걸었을 것입니다. 그때 당신의 부모님을 비롯한 많은 분들이 좋아하고 칭찬해주었을 것입니다. 그런데 그것이 혹시 당신의 인생에서 달리기와 관련된 마지막 성공 체험은 아니었습니까? 그 후 우리는 하나같이 원래부터 인간에게 주어진 활동 본능과 점점 멀어져갑니다. 세발자전거, 롤러스케이트, 두발자전거, 오토바이, 운전면허증. 우리

는 체계적으로 운동과는 멀어져갑니다. 혹시 당신은 학창 시절부터 달리기와 관련된 충격적인 기억을 가지고 있지는 않습니까? 아무런 연습 없이 1,000미터 달리기를 해야만 했을 것이고, 그 결과는 대부분 고통스러운 것이었을 것입니다. 우리는 인터넷 세상을 '서핑' 하고 있고, 도시에서 물건을 사기 위해 이리저리 '돌아다니고' 있습니다. 그러나 사람들은 일상적으로 행해지는 이런 일들을 '~하러 간다' 고 생각하고 있습니다. 원래 '간다' 라는 의미에는 '걷는다' 라는 의미가 포함되어 있습니다. 그런데 실제로 걷는 것도 아니면서 현대에는 '~하러 간다' 라는 표현을 쓰고 있습니다. 이런 단어의 의미가 변하는 것은 운동이 부족하고, 운동부족으로 인한 문명병이 나타나는 현대사회의 특징입니다. 요즘 사망자의 반 정도가 심장 순환기 질환으로 죽습니다.

우리 인간의 유전자는 원래 '달리는 동물' 의 유전자로, 운동하는 데 적합하게 프로그램되어 있습니다. 그런 유전적 특징은 수십 년간 운동을 하지 않았어도 변하지 않습니다. 인류 역사의 수백만 년 동안 건강한 신체는 생존을 위한 필수적인 요소였습니다. 원시인은 지구력 있는 수렵 채취자였지 결코 빨리 뛰는 러너는 아니었습니다. 그들은 단지 '빨리 걸을 수 있는 동물', '조거(jogger)' 정도에 불과했습니다. 먹고살기 위한 일상의 활동 범위는 수 킬로미터에 달했습니다. 최근 200년간 급격한 기술 발전으로 인해 우리의 생활은 육체적 힘을 강하게 요구하던 유목과 사냥, 농경, 수공업적 활동에서 편안하고 여유롭고 살찌게 만드는, '소파에 누워 감자 스낵을 우물거리는' 안락한 생활로 변화되었습니다. 이런 생활의 가장 흔한 여가 활동은 '비디오 감상' 입니다. 그리고 일상생활의 대부분은 사무실에서 일하거나 운전하는 등 앉아 있는 생활입니다. 그러나 우리 몸의 생물학적 시스템은 자신의 몸을 유지하기 위하여 계속적인 (운동)자극을 필요로 합니다. 앉아서 활동하는 생활이 계속 유지되면 사용하지 않는 부위의 기능과 구조가 퇴화하게 됩니다. 이것은 깁스를 오래하고 있으면 근육이 수축되는 것과 같습니다. 몸의 활동이 줄어들면 뼈와 관절이 약해지고 심장 등 순환기 시스템이 망가집니다.

"건강이 모든 것은 아니다. 그러나 건강 없이는 아무것도 있을 수 없다!" 아르투어 쇼펜하우어의 말입니다. 1968년 미국에서 케네스 쿠퍼 박사의 『에어로빅스』가 출판되어 수백만 권이 팔리면서 운동 부족과 점점 늘어나는 문명병을 이기기 위해 조깅과 걷기 붐이 일어났습니다. 그러나 오늘날 '조깅의 나라', '가벼운 식사를 즐기는 나라' 미국에서도 1968년 당시보다 뚱뚱한 사람이 더 늘었습니다.

독일 또한 건강과 몸무게라는 관점에서 보면 유럽 국가 중 최하위에 속해 있습니다. 독일에서 달리기를 하자는 사회운동이 일어난 것은 1975년이었습니다. 이때 처음으로 달리기 전문잡지 ≪스피리돈≫이 생겼습니다. 1980년대 이후 생겨난 시민 마라톤 붐은 뉴욕 마라톤과 보스톤 마라톤에서 정점에 이르렀습니다. 보스톤 마라톤 대회 참가자는 4만 명이 넘고 뉴욕 마라톤 대회 때는 200만 명 이상의 시민이 참가자를 응원합니다. 걷기나 달리기가 아침운동이나 여가운동으로 주요한 위치를 차지하게 되었습니다.

요쉬카 피셔는 이런 과정에 나타난 독일의 가장 유명한 건강달리기 아마추어 마라토너입니다. '심각한 개인적인 위기감을 느끼며' 그는 짧은 기간 동안에 자신의 개혁을 완수했습니다. 그는 천천히 즐기면서 달리기를 하는 새로운 붐을 일으킨 대표적인 간판스타입니다. 1970년대나 1980년대처럼 베스트 기록을 세우거나 남보다 빨리 달리는 것이 목표가 아니라 체중을 줄이고 건강을 유지하며 노후까지 생활의 질을 유지하는 것이 목표입니다. 요쉬카 피셔의 변화는 비만한 사람들과 나이 든 사람들에게 용기를 주었습니다. 인생은 40살 이후에도 계속됩니다. 그는 올림픽에서 우승하는 것보다 더 강한 의지력을 가지고 '정신과 육체가 하나로 되는 자아여행'을 시도하여 112킬로그램의 엄청난 비만 상태에서 50살에 마라톤을 완주하는 몸 상태로 바꾸었습니다. 이러한 그의 정신력은 많은 사람들에게 큰 감동과 '나도 할 수 있다'는 생각을 심어주었습니다. 그는 스스로 깨우친 '양초의 양끝에서 불을 붙이는 방법'을 사용하였습니다. 체중 감량은 식이요법과 운동을 겸할 때 제대로 이루어질 수 있다는 것을 실천한 것입니다.

마라톤을 하는 사람들은 예전에 비웃음을 받았지만 오늘날에는 존경을 받고 있습니다. 마라톤을 하는 사람들은 특별히 강한 의지력과 목표 추진력을 지닌 것으로 생각되고 있습니다. 또 마라톤을 뛰는 사람들은 긴 고난의 거리를 극복할 수 있고 자신의 육체적 · 정신적 한계를 계속해서 넓혀갈 수 있습니다. 그것이 꼭 마라톤일 필요는 없습니다. 그보다 짧은 거리를 걷거나 달려도 상관없습니다. 요즈음은 운동을 하지 않는 사람들은 조깅을 하는 사람들을 보면서 운동을 해야 한다는 양심의 가책을 받게 됩니다. 운동을 하지 않는 사람들은 "시간이 없어서 못한다"라는 말을 많이 합니다. 그러나 요쉬카 피셔를 보십시오. 그가 시간이 많아서 달릴 수 있었습니까? 그는 술집에서 술 마시고 담배 피고 맛있는 식사를 즐기는 것 대신에 운동화를 신었고, 그 결과로 달리기를 즐기는 사람이 되었습니다. 자기파괴적인 행동이 아니라 건설적인 행동! 달리기는 그에게 자신을 되돌아보고 명상할 수 있는 시간을 주었습니다. 그 과정에서 그는 내적인 조화와 평온을 찾게 되었습니다. 그것은 주어진 시간이 아니라 자신이 만든 시간입니다. 그는 이제 공항에서 연방의회까지 가면서도 잠시라도 달리기를 즐깁니다. 그러면 자신의 내적인 배터리가 다시 완전히 충전됩니다.

달리기는 신체의 다른 부위보다도 다리를 강하게 해줍니다. 또한 달리기를 하면 여러 가지 이득이 있습니다. 편안한 정도의 조깅은 심장 기능과 면역 체계를 강화시켜줍니다. 또한 혈관을 튼튼하게 만들고 관절 부위를 부드럽게 움직이게 해줍니다. 그래서 무릎을 다치지 않게 해줍니다. 혈압과 혈당도 조절할 수 있도록 해주고 콜레스테롤 수치도 떨어뜨려줍니다. 달리기를 하면 식욕이 좋아져 균형 잡힌 식사를 할 수 있게 되고, 몸무게를 감소시켜주며, 자연스런 방식으로 스트레스 호르몬을 없애줍니다. 특히 나이 든 사람들에게 달리기는 삶의 질을 높여줍니다. 달리기나 걷기는 어떤 나이의 사람이라도 할 수 있는 운동입니다. 이런 운동을 시작하기에 늦은 나이는 없습니다. 뉴욕에 있는 90세의 마라토너는 75세 때 처음으로 달리기를 시작했다고 말했습니다. 달리기는 장비가 거의 필요 없습니다. 또 나쁜 배기가스나 소음을 만들어내지도 않습니다. 그리고 언제든 할 수 있기에 시간도 효율적으로 사용할 수 있습니다. 어떤 장소에서도 뛸 수 있고, 제대로 된 기능성 복장만 갖춘다면 어떤 계절에라도 뛸 수 있습니다. 지금 당장 못할 이유가 없습니다. 아무리 먼 여행이라도 내딛는 첫걸음이 있어야 시작할 수 있습니다.

- 만약 당신이 35살이 넘었거나 아주 오랫동안 아무런 운동을 하지 않았다면 달리기를 시작하기 전에 운동 경험이 있는 전문의에게 진단을 받아보아야 합니다.
- 달리기는 비용이 적게 듭니다. 그렇지만 아무 운동화나 신고 운동을 해서는 안 됩니다. 달리기에 대해 잘 아는 주변 사람에게 물어보고 제대로 된 '달리기용 운동화'를 구입하십시오. 그렇지 않으면 관절이나 뼈에 부상을 당할 위험이 있습니다.
- 땀을 잘 배출하고 가벼운 기능성 섬유로 된 옷을 입으세요.
- 관절이나 인대 부상으로 고통을 겪는 사람이나 너무 뚱뚱한 사람, 임신부, 노인 등은 우선 자전거를 타거나 수영 또는 팔을 크게 흔들면서 천천히 걷기부터 시작하는 것이 좋습니다.
- 통증을 느끼고 있을 때나 바이러스에 감염되어 있을 때 또는

몸에 열이 있을 때는 달리지 마십시오!

- 주변의 아는 사람들 중에서 같이 달릴 수 있는 사람을 찾거나 달리기 클럽을 찾아가 다른 사람들과 같이 뛰면 더욱 즐겁습니다.
- 경사도가 심한 언덕이 없는 편평한 주로에서 시작하십시오.
- 숨쉬기는 억지로 규칙을 만들지 말고 입과 코로 자연스럽게 하십시오. 나중에 자연스런 호흡 리듬을 발견할 수 있을 것입니다.
- 팔은 몸에 바짝 붙여 앞뒤로 자연스럽게 움직이십시오. 그러나 흔들거리게 해서는 안 됩니다.
- 일년 정도 일주일에 세 번씩, 하루에 최소한 30분 이상 고통을 느끼지 않을 정도로 아주 부드럽게 운동하면 최적의 건강 상태에 도달할 수 있을 것입니다. 그 척도는 단순합니다. 너무 빠르거나 느리지 않으면서 편안하게 상대방과 이야기할 수 있는 정도의 빠르기로 달리면 됩니다.
- 심박측정기로 달리기의 강도를 조절할 수 있습니다. 자신에게 적당한 심박수로 달리는 것이 좋습니다.

  적정 심박수 = 180 - 자신의 나이 ± 10회
- 달리기로 피하지방을 없애려고 하는 사람은 천천히 오래 달

려야 합니다. 빨리 달리면 더 많은 탄수화물만 태울 뿐 지방은 거의 타지 않습니다. 1킬로미터당 소비하는 칼로리는 당신의 몸무게에 비례합니다.

- 달리기를 시작한 첫 일주일 동안에는 달리다가 짧은 시간 가볍게 걸으며 휴식을 취하는 것이 도움이 됩니다.
- 당신의 몸이 달리기에 적응할 수 있는 시간을 주어야 합니다. 그 시간은 몇 주일 걸릴 수도 있고 한 달 이상 걸릴 수도 있습니다. 그렇지 않으면 부상을 당할 수 있으며 중간에 좌절할 수도 있습니다.
- 달리기 초보자는 더 빨리 달리려고 애쓰지 마십시오. 우선은 더 멀리 더 자주 달리기 위해 노력하십시오.
- 달리기 전 1시간 30분 이내에는 무거운 식사를 하지 마십시오. 바나나와 같이 소화가 잘 되고 위에 부담이 없는 가벼운 음식을 드십시오. 그렇지 않으면 달리는 중 옆구리 통증을 느낄 수 있습니다.
- 땀을 통해 잃어버린 수분만큼 물을 마시거나 과일주스를 마셔 체내 수분을 보충하십시오.
- 동물성 지방, 커피, 술, 단 음식 섭취량을 줄이십시오. 대신 과일, 채소, 샐러드, 감자, 생선을 많이 드십시오.

• 달린 후 어깨, 장딴지, 허벅지 등의 부위를 스트레칭과 이완 운동을 해주어야 합니다. 그리고 복근과 등 근육을 강화해야 합니다.

• 항상 훈련일지를 쓰세요.

• 규칙적으로 몇 주간 트레이닝을 하고 나면 달리기가 훨씬 쉬워질 것입니다. 그리고 약 3개월 정도 지나고 나면 달리기의 즐거움을 느껴 하루도 빼먹고 싶지 않아질 것입니다. 항상 즐겁게 달리십시오.

* **헤르베르트 슈테프니**는 1986년 슈투트가르트 유럽 선수권 대회에서 마라톤 동메달을 수상했으며, 독일 마라톤 대회에서 13차례에 걸쳐 우승한 마라토너이다. 10년 이상 건강관리 매니저로서 달리기 개인 트레이닝 , 건강관리 세미나와 강연 활동을 하고 있으며, 스포츠 저널리스트로도 활동하고 있다.

택시 운전사에서 외무장관에 이르기까지

■

정계화
(베를린 자유대학 박사 과정 중)

지난해 5월 코소보 전쟁이 막판으로 치닫고 있을 때였다. 독일 빌레벨트 시에서는 코소보 전쟁과 관련하여 녹색당 특별 전당대회가 열렸다. 이 전당대회는 당시 언론의 초점이 될 수밖에 없었는데 그도 그럴 것이 연정에 참가한 녹색당이 나토 공습 또는 코소보 전쟁과 관련한 당론을 결정하는 중요한 자리였기 때문이다. 그야말로 이 전당대회는 사회당과의 연정에 참여하고 또 유럽통합이라는 돌릴 수 없는 대의에 따라야 하는 녹색당 첫 외무장관의 절박함과 조건 없는 반전을 신성시하는 당원들과의 격전장이었다. 그날, 의장단석에 자리잡은 요쉬카 피셔에게 단상 밑에서 물감봉지가 날아들었다. 물감봉지는 피셔의 오른쪽 귀밑에 맞아 터져버렸고, 피셔의 얼굴과 옷은 시뻘겋게 물들었다. 간단한 치료를 끝낸 후 물감이 벌겋게 베인 자켓을 그대로 입은 채 온갖 야유를 들으면서 연설대에 등단한 피셔. 그 특유의 걸걸한 목소리로 자신을 야유하는 당원들에게 우선 일성을 가했다.

"그래, 맞다. 내가, 그래, 당신네들 말처럼 한 전쟁 선동자가 이 자리에서 계속 전쟁을 방조하려 하고 있다. 그리고 당신들은 밀로셰비치를 다음 번 노벨평화상 후보자로 추천하려고 하고 있고……."

언제나 그렇지만 단단한 논증, 누구도 생각지 못한 반어들, 그리고 째는 듯이 파고드는 비꼼이 적절히 어우러진 그의 연설은 어느덧 야유를 멈추게 하고 당원들의 주의를 서서히 집중시키기 시작했다.

"나는 당신들의 요구를 연정 내에서, 유럽연합 내에서 그리고 나토 안에서 실행으로 옮길 수 없다. ……일방적인 나토의 기약 없는 공습 중지는 코소보 문제를 해결하는 데 있어서 완전히 잘못된 시그널을 밀로셰비치에게 줄 뿐이다."

반대파를 비켜가는 것이 아니라, 그들 앞에서 구구하게 변명하면서 뒤에 가서 합의와 다른 이야기를 떠드는 정치가들과 달리

논증으로 정면돌파의 승부수를 띄우는 피셔. "평화란 사람들이 살해되지 않고, 추방되지도 않고, 여자들이 겁탈되지 않는 것을 전제"로 하는 것이라고 정의하는 피셔. 연방의 집권정당으로서 행정부의 책임을 떠맡고 있고 당의 원칙을 조금 손상하는 일이 있더라도 이 책임을 충실히 이행할 때만 만년야당이 아닌 녹생당의 미래가 유권자들로부터 보장될 수 있다고 생각하는 피셔 장관의 입장은 "선 밀로셰비치 퇴각, 후 공습 중지"였다. 반면에 당내 원칙론자들의 입장은 조건 없는 나토의 공습 중지였다. 이날, 그의 신념에 찬 연설은 반전 원칙을 기본 생각으로 가졌던 전당대회 대의원들의 생각을 돌리고, 예상과 달리 중앙위의 결의안을 당론으로 채택하게끔 만들었다.

이로 인해 당과 자신이 갈라지는 위기를 넘긴 피셔 장관은 자신의 '평화계획'의 추진을 가속화시켰고 결국 한 달 후 코소보 위기는 나토의 코소보 주둔으로 일단락되었다. 코소보 전쟁 중 유럽연합과 나토 내에서 피셔 장관의 역할을 높게 평가했던 메를린 올브라이트 미국 국무장관은 피셔 장관을 두고 "기억해둘 만한 동시대인"이라고 칭했으며 독일의 시사 주간지 ≪슈피겔≫은 그를 "남에게 정말 보여줄 만한 독일 장관"이라고 평가했다. 저녁 뉴스에서 그의 연설을 들을 기회가 있었던 나는 그의 입장이 맞는가 틀리는가의 문제를 떠나 하여튼 '매우 솔직한 정치인' 이라는 인상을 받았다. 이 솔직한 정치인 피셔는 어떤 사람인가?

요쉬카 피셔, 그는 율사 출신이나 박사 출신 또는 내세울 만한 경력을 쌓은 사람들로 구성된 독일 연방의회에서는 참으로 색다른 사람이다. 그의 학력은 고등학교 중퇴. 학생운동이 활발하던 시기, 몇 번의 청강이 그가 가졌던 대학과의 관계 전부이다. 말콤 엑스에게 감옥이 대학이었다면 피셔에게는 프랑크푸르트의 거리가 말하자면 그의 대학이라고 해도 과언은 아닐 것이다. 제도권 정치에 발을 담그기 전까지 '거리의 대학' 에서 그가 해보지 않은 일이란 거의 없을 정도이다. 노숙자, 방랑자, 새로운 주거공동체의 개척자, 빈집 점거 농성자, 거리화가, 택시 운전사, 헌책방 주인, 공장노동자, 고급 포르노그래피 번역자, 반핵운동가 등등. 그의 삶을 시간대에 따라 대충 엮어보면 다음과 같다.

제2차 세계대전 후 헝가리에서 독일로 귀국한 푸줏간 주인 요제프 피셔와 엘리자베스 피셔 사이의 일남 이녀 중 막내로 태어난 그의 원래 이름은 요제프 마틴 피셔. 1948년 4월 12일 독일 남부 흑림지역 안에 있는 랑엔부르크라는 산골에서 태어난 그는 막내로서 온갖 귀염을 다 받고 자랐다. 초등학교에 이를 때까지 평범한 유년기 시절을 보낸 그는 지역 대표 사이클 선수이기도 했다. 평범한 성장 과정에 급작스러운 변화가 찾아온 것은 17살 때. 갑작스러운 아버지와 작은 누나의 죽음이 변화의 원인이었다. 아버지가 죽고 난 후 학교에서는 일종의 문제 청소년으로 낙인 찍히고 '학교와 집'을 족쇄로 느끼는 청소년기의 방황이 시작된다. 몇 번의 가출, 노숙자로서의 생활, 정규학업 중단, 사진사로서의 직업교육 시작과 바로 이어진 중단. 방랑기 피셔처럼 시민적인 가족을 족쇄로 이해하고 집을 뛰쳐나온 에델트루트와 첫 번째 결혼한 것도 이 시기이다.

피셔의 청소년기 이런 끝없는 방황에 종지부를 찍게 한 것은 다름 아닌 68학생운동이다. 슈투트가르트에서 우편 배달부로 잠깐 동안 일하던 피셔는 에델트루트와 함께 보수적인 남부를 떠나 당시 학생운동의 메카였던 프랑크푸르트에 정착하게 된다. 이 시기 마르크시즘과 첫 사상적인 교류가 있었고, 반전 · 반핵 운동에 적극적으로 참여하기 시작했으며 몇 번 철창 신세를 지기도 했다. 프랑크푸르트 대학에서 아도르노, 하버마스 강의 등을 청강하기도 한 피셔는 자신을 이때부터 '직업혁명가'로 이해하였다. 이 직업혁명가의 주된 활동은 일종의 도시빈민운동으로서 허물어져가는 빈집을 점거하고 주거공동체를 형성하는 일, 이는 경자유전과 비슷하게 '집은 들어가 사는 사람이 주인'이라는 원리에서 비롯된 운동으로서 자본주의적인 소유권과 무제한적 개발주의에 대한 저항이기도 했다.

이 시기 피셔의 생계 유지 수단은 고급 포르노그래피 번역과 '카를 마르크스' 라는 이름의 헌책방을 몇몇 사람들과 공동으로 운영하는 것이었다. 헌책방 운영은 직업혁명가로 자처하던 피셔에게 또 다른 중요한 경험이었는데, 이를 통해 한편으로는 정규교육에서 채우지 못했던 이론적인 지식의 폭을 넓힐 수 있었고 다른 한편으로는 매니지먼트의 재주를 자신에게서 발견하게 된다. 헌책방 운영은 그 외에도 당시 비교조적인 좌파 운동가들의 기관지격인 도심해변(PflasterStrand)의 주된 재원이 되기도 했다.

변혁운동의 열기가 시들해지고 변혁의 중심이 다시 기존 정치권으로 모아지던 — 빌리브란트는 이런 변화의 상징이었다 — 1970년대 중반 68세대 정신은 분열되었다. 68운동 세대의 일부는 '비제도권 야당운동' 에, 또 다른 일부는 낭만주의적 녹색운동에 그리고 교조적 혁명주의자들은 적군파로, 그도 저도 아니면 평범한 사회인이 되어버렸다. 이 시기 극성을 부리던 적군파의 테러를 계기로 청년 피셔는 직업혁명가로서의 자기정립에 근본적인 회의를 던지기 시작한다. 말하자면 청년의 열기가 슬슬 수 그러들고 20대 후반기에 접어든 피셔는 좀더 근본적이고 현실적인 문제들에 봉착하게 된 것이다. 확실히 적군파는 이론의 소아병적 아집이었고, 비교조적 좌파 운동가들이 당시 대부분 몸담고 있던 '비제도권 야당운동'은 제도권 정치 역관계에 실질적인 영향을 미치기에는 너무도 빈약한 것이었다. 중년기에 접어든 피셔가 이 시기 내린 결론은 "현실을 알지 못하는 얄팍한 이론적 사변에서 나온 운동들은 오래 가지 못한다. 직업혁명가의 꿈을 이어가려면 무엇보다 책에서 배우지 못한 현실을 이해해야 할 필요가 있다"는 것이었다.

청년의 열기로 가득 찬 직업혁명가의 기치를 접은 피셔가 우선 찾아간 곳은 오펠 자동차공장. 외국인 노동자의 권리보장을 위해 파업을 주도하고 오펠 사로부터 파업 주동자로 찍혀 무기한 해고되기까지 일년 반 동안 피셔가 느낀 점은 책에 쓰여진 현실과 컨베이어 벨트에 매달려 돌아가는 인생들의 현실은 매우 다르다는 것이었다. "우리가 책으로 읽은 이론적인 구상은 맞는 것이 아니었다. 노동자들은 결코 혁명을 원하지 않았다."

당장 생계 문제에 부닥치게 되자 그가 다시 선택한 직업은 택시 운전사. 택시 운전은 1983년 녹색당의 일원으로 연방의회에 진출하기까지 5년간 피셔의 직업이었다. 길바닥 창녀부터 글로

벌 플레이어에 이르기까지 다종다양한 승객들을 모시고 프랑크푸르트 밤거리를 달리던 피셔가 이때 배운 점은 결코 책에서는 익힐 수 없는 인간군상들에 대한 깊은 이해였다. 그는 지금도 택시 운전사였던 경력을 자랑스럽게 회상하고 있다.

"택시 운전을 하면서 나는 있는 그대로의 호모 사피엔스를 알 수 있게 되었지요. 그들의 훌륭함, 그들의 신비함, 그들의 숭고함, 그리고 그들의 저열함, 그들의 악랄함 그리고 무엇보다도 그들의 평범함 속에서 인간들을 보게 되었지요. 확실히 택시 운전은 나에게 '현실의 학교' 였어요."

30대 초반이 된 한 68세대의 이런 거듭나기에서 한동안 정치적인 문제들이 관심의 뒷전으로 밀려난 것은 어쩌면 당연한 것이었다. 두 번째 부인, 프랑크푸르트 대학 수학과 1학년생 잉에(Inge)와 재혼한 것도 이런 개인적인 성숙의 시기였고, 첫아들 다비드(1979)와 딸 라라(1983)를 본 것도 바로 택시 운전을 하면서였다.

비제도권 야당운동의 실천에 한계를 느끼던 프랑크푸르트의 일부 비교조적 좌파 운동가들은 1983년 연방의회 재선거에 참여를 결정한다. 지난 5년간 택시 운전과 공장노동으로 현실 감각을 익힌 피셔는 이런 선거 참여에 적극 동참했다. 그때까지 민주주의의 형식적인 투표 행위에 의미를 부여하지 않던 비교조적 좌파 운동가들에게는 엄청난 변화였고 일부 비제도권 야당운동가들에게는 일종의 배신 행위로 받아들여지기도 했다.

선거판에 뛰어든 피셔가 선택한 당은 신생 정당인 녹색당, 이는 기존 정치정당에 때묻지 않은 유일한 정당이기도 했다. "정치는 망가지면 다시 고칠 수 있지만 한번 망가진 자연은 고칠 수가 없다"는 슬로건으로 녹색당에 입당하고 처음으로 연방의회에 진출하게 된다.

녹색당에서 피셔가 공식적으로 맡은 일은 원내 사무총장, 그러나 그의 이름을 전국적으로 알리게 한 것은 신생 정당의 사무총장이라는 사실보다는 빛나는 의정연설이었다. 청바지에 티셔츠, 그 위에 자켓 하나 걸치고 검은 선글래스을 내려 낀 채 연설대에 올라선 피셔. 그 자체로 의회 정치문화의 새바람을 일으키는 상징이기도 했다. "국가안보라면 광신적으로 흥분만 하는 기민련 기사련 의원 여러분……"으로 시작된 그의 첫 의정연설은 곧 모든 매스컴의 관심의 대상이 되었고 어느덧 피셔는 녹색당 당론의 공식 창구가 되어버렸다. 타의원 연설 내용에 항의하던 도중 "허락하신다면 의장님! 당신 정말 똥개요"라는 발언으로 한동안 본회의장 출석 금지라는 징계 처분을 받은 일은 지금도 독일 의회

사의 신화로 남아 있다.

직업혁명가에서 개혁정치가로 화려하게 변신한 피셔에게 당내의 낭만주의적인 원칙주의자들과의 대립은 또 다른 골칫거리였다. 원내에서 원외 야당운동을 지속하고자 하는 원칙론자들은 피셔에게 일종의 자기모순일 뿐이었다. 일단 현실 정치권에 몸담은 이상 정치적 역관계의 현실성을 고려하지 않는 원칙이란 기본적으로 불가능한 것이 원칙론자들에 대한 현실주의자들의 일반적인 판단이었다. 그 어떤 기존 정당과도 연정하지 않고 야당만을 고집하는 원칙론자와의 대립은 헤센 주 총리인 뵈르너의 연정 제의를 두고 공공연하게 표면화되었다.

집권을 하지 않는 한 원칙의 실천, 실현은 가능하지 않다라는 논리를 펴며 전당대회에서 다수파를 장악하고 피셔는 첫 녹색당 주정부 장관에 취임한다. 물론 그가 맡은 부처는 환경부. 그가 취임식에서 신었던 나이키 운동화는 녹색당의 첫 집권을 상징적으로 표현하는 것이기도 했다. 매스컴이 이때 그에게 붙여준 별칭이 '운동화 장관'. 그 운동화는 지금 박물관의 소장품으로 전시되어 있을 정도이다. 이 연정 참여와 환경부 장관 취임은 피셔에게 새롭지만 위험한 모험이기도 했다.

집권의 경험이 전혀 없는 그가 봉착한 문제는 복지부동의 관료주의, 당내 경제를 무시하는 생태주의 강경파의 무리한 요구, 그리고 연정에서 다수파인 사민당의 정책 간섭이었다. 특히나 관료주의는 개혁정치가의 정책의 걸림돌이었다. 안 그래도 경직된 관리들에게 피셔라는 인물과 그의 출신 성분은 달갑지 않은 것이었고 반대로 관료세계의 경험이 일천한 피셔에게 관료들의 복지부동과 보신주의는 정말 넌더리가 나는 것이었다. 1986년 체르노빌 원전 사고 처리 문제로 연정이 깨질 때까지 피셔가 톡톡히 배운 점은 집권에 참여할 때 넘어야 할 현실의 높은 벽이었다.

1989년 헤센 주 선거에서 대승을 거두고 사민당과의 연정에 참여하여 다시금 헤센 주 환경 · 자원부 장관에 취임하게 된 피셔는 철저한 정책 준비와 적합한 정책 설정으로 관료들로부터 '조직과 함께 일하는 장관' 이라는 평가를 받았다. 1차 연정이 깨지고 그때부터 가까이 하기 시작한 술과 격무에 시달리면서 과도하고 불규칙한 식사로 날씬한 청년의 모습은 사라지고 어느덧 배가 동그랗게 튀어나온 중년의 모습으로 변한 것도 헤센 주 환경 · 자원부 장관 시절이었다. 주 장관을 역임하면서도 연방정치 무대에 대한 관심을 지속적으로 가져온 피셔는 1993년 헤센 주 환경 · 자원부 장관 역할을 성공적으로 마친 후 연방의회에 다시 진출한다.

1994년 연방의회 선거 때 유일하게 '집권 경험이 있는 녹색정당인' 으로서 그리고 특유의 달변으로 유권자들의 관심을 사로잡은 그는 녹색당을 연방의회 제3 당으로 끌어올리면서 녹색당 연방의회 원내의장에 취임한다.

원고 없이도 본회의 연설을 할 수 있는 몇 안 되는 독일 정치인 중 한 명인 피셔 원내의장의 의정연설은 수사학적인 관점에서 보아도 정말 들을 만한 것으로 평가되고 있다. 1999년에는 올해의 연설로 뽑혀 수상을 하기도 하였다.

1998년 연방의회 선거에서 16년간 지속되어온 헬무트 콜 시대를 사민당과의 연정으로 종식시키고 슈뢰더 내각의 부수상이자 외무장관 자리에 오르게 된다. 화려한 변신과 빠른 적응 그리고 새로운 것에 대한 학습 능력이 뛰어난 피셔는 외무장관이 된 후 언론으로부터 슈뢰더 내각의 장관들 중 가장 성공적인 업무 수임을 한 장관으로 평가되고 있다.

1998년 외무장관 취임식에서 전 외무부 직원들을 앞에 두고 행한 취임 인사말에서 "땡중아! 땡중아! 너 정말 어려운 길을 가고 있구나. 땡중아! 땡중아!"라는 마르틴 루터의 성담을 인용으로 녹색당의 이상과 국가의 이해를 조율하는 일의 어려움을 간접적으로 암시하였다. 그 어려움은 위에 언급한 코소보 전쟁을 통해서 아주 적나라하게 드러났다. 코소보 위기의 해결에서 피셔의 '평화계획' 은 강경논리와 온건논리의 기막힌 외교줄타기의 모범으로 인정받고 있다. 보수 일간지 ≪프랑크푸르트 알게마이너≫는 코소보 위기의 총평에서 "이 위기가 정치적인 해결의 결실을 보게 된 데에는 요쉬카 피셔의 공헌이 너무도 컸다. 피셔는 불 같은 확신 속에서도 정치가의 차가운 계산을 잊지 않았다. 그는 초기에 위기 해결을 위한 '평화계획' 을 수립했으며, 또 깨지기 쉬운 서방연맹의 외교 통로를 지칠 줄 모르고 이어갔다" 고 말하고 있다.

유럽통합의 질적인 향상, 유럽통합의 동유럽 확장, 그리고 유럽연방 신속 대응군 창설 문제에서는 유럽통합의 개척자 격인 콜 행정부의 외교정책을 지속적으로 수행하면서, 한편으로는 나토의 원자탄 선제공격원칙의 포기, 무기수출의 엄격한 제한, 인권신장에 중심을 둔 외교정책 수립 등으로 녹색당 이상에 충실한 면을 보여주기도 했다.

거리의 직업혁명가에서 외무장관까지의 기나긴 여정도 이제 어느덧 마무리를 지어야 할 것 같다. 혹자는 요쉬카 피셔의 변신능력을 두고 캐리어에 집착하는 이기주의자라고 비난하기도 하고 또 다른 사람은 외무장관 자리에 앉은 이후에 느껴지는 보수화를 걱정하기도 한다. 그러나 각고의 자기노력이 없이 성공적인 변신은 가능한 것이 아니다. 주어진 인생의 고비마다 그가 새로운 시작을 할 수 있었던 것은 이런 철저한 자기준비와 자기노력 그리고 새로운 일에 대한 뛰어난 학습 능력 때문이다.

1996년 자신도 모르게 일상이 되어버린 술에 찌든 의원 생활을 반성하면서 연일 격무 속에서도 철저한 식이요법, 꾸준히 지속되는 달리기를 일년 만에 112킬로그램에서 75킬로그램로 몸무게를 줄인 것을 보면 그의 자기노력이라는 것이 어느 정도인지를 실감하게 한다. 또 그의 보수화에 대해서 우리가 "민주주의에서 개혁은 어차피 달팽이 움직임과 같은 것일 수밖에 없다"는 독일 작가 귄터 그라스의 말을 충분히 이해한다면 우리는 요쉬카 피셔를 현실성을 담보한 68세대의 정신으로 한 번쯤 이해볼 수도 있을 것이다. 적어도 한 가지 분명한 것은 — 앞에서 언급한 메를린 올브라이트의 말이 외교적인 겉치레 인사말인지 아니면 진심에서 우러나온 평가인지 알 길 없지만 — 요쉬카 피셔가 확실히 "기억해둘 만한 동시대인"이라는 사실이다.

나는 달린다

Joschka Fischer

1판 1쇄 펴냄 2000년 9월 25일
1판 13쇄 펴냄 2002년 1월 5일

지은이 · 요쉬카 피셔
옮긴이 · 선주성
펴낸이 · 이갑수
펴낸곳 · 궁리출판

출판등록 1999. 3. 29. 제15-398호
151-812 서울시 관악구 봉천6동 1690-120
대표전화 878-8341 / 팩시밀리 878-8342
E-mail : kungree@chollian.net
www.kungree.com

ISBN 89-88804-17-1 03850